Fabliaux
et contes moraux
du Moyen Âge

Fabliaux
et contes moraux
du Moyen Âge

Préface de Jean Joubert

CHOIX, TRADUCTION, COMMENTAIRES ET NOTES
DE JEAN-CLAUDE AUBAILLY

Le Livre de Poche

Jean-Claude Aubailly est docteur ès lettres et professeur de langue et littérature médiévales à l'Université de Perpignan. Spécialiste du théâtre médiéval, il a donné de nombreuses conférences à l'étranger et notamment au Canada et aux États-Unis, et a publié plusieurs ouvrages dont *Le Théâtre médiéval profane et comique* (Larousse, Paris, 1975), *Le monologue, le dialogue et la sottie, essai sur quelques genres dramatiques de la fin du Moyen Age* (Champion, Paris, 1976), deux éditions de textes : *Deux jeux de carnaval* (Droz, Genève, 1978), *La Farce de Pathelin et ses continuations* (C.D.U.-S.E.D.E.S., Paris, 1979), une traduction d'un roman médiéval *Amadas et Ydoine* (Champion, Paris, 1985) et une étude sur les récits merveilleux des XIIe et XIIIe siècles : *La Fée et le Chevalier* (Champion, Paris, 1986).

Préface

Ce n'est pas sans émotion que j'ai relu ces contes et fabliaux, me souvenant de la découverte que j'en fis, au collège, à une époque déjà lointaine. Des programmes ambitieux nous incitaient à étudier, en sept ans, *toute* la littérature française, de ses origines à la période contemporaine. Chronologie oblige, nous commencions par le Moyen Age, et, naturellement, en classe de sixième. Notre manuel, bardé de notes et pourvu d'un glossaire, contenait des morceaux choisis, en français médiéval, souvent obscur et rébarbatif pour les bambins que nous étions. Si quelques-unes des beautés de ces pages ne m'échappèrent pas, je ne suis pourtant pas certain d'en avoir alors saisi tout le charme. Il faut donc être reconnaissant à l'auteur et à l'éditeur de la présente anthologie d'avoir substitué au texte original, désormais peu intelligible pour les non-spécialistes, de bonnes traductions en français moderne, qui préservent à la fois l'atmosphère et le pittoresque du langage.

Les fabliaux se situent résolument dans le domaine du réalisme. Les auteurs, souvent anonymes, ne manquent pas d'insister sur l'aspect véridique de leurs récits. « Je ne vais pas vous raconter de mensonges », proclame l'un d'eux, et si, en fait, l'imagination a bien dû jouer un certain rôle, l'illusion réaliste se trouve préservée. C'est une sorte de « comédie humaine » que nous propose l'ensemble de ces histoires brèves, dans lesquelles toutes les classes sociales sont présentes : nobles, prêtres, bourgeois, marchands, paysans, voleurs et gueux. Pourtant le comique, souvent proche de la farce, n'est jamais gratuit. L'auteur a certes l'intention de nous divertir, mais également de nous enseigner, même si la moralité finale nous paraît parfois douteuse. Que la cupidité, la fourberie, l'ingra-

titude soient punies, voilà qui va dans le sens du bien
tel que nous l'entendons, mais que penser, par exemple,
de la fréquente célébration de la ruse ? Dans une
société dont l'argent est devenu le nerf, et où s'opposent pauvres et nantis, elle est considérée comme le
recours légitime des opprimés, qui bénéficient de la
sympathie, voire de la complicité des poètes, hommes
impécunieux entre tous. Ainsi se trouve un tant soit
peu rétabli, à défaut de justice, l'équilibre entre les
individus.

Quels que soient les charmes et les vertus des
fabliaux, ils possèdent cependant leurs limites, qui
sont celles du réalisme. Avec les contes, nous péné-
trons dans un plus vaste et plus prestigieux domaine :
celui de l'imaginaire, du merveilleux, des grands mythes
tragiques qui ne cesseront de hanter la rêverie des
hommes. En un mot, c'est de poésie qu'il s'agit, dont
nous savons désormais qu'elle ne tient pas au décou-
page du texte en vers rimés ou non rimés, mais plutôt
à un état d'esprit, à une sensibilité au monde, à une
quête de ses mystères par l'intermédiaire d'un langage
porté à son plus haut degré de signification. Ainsi une
« prose » peut-elle manifester une tension poétique,
qui fera défaut à tel ou tel « poème » artificiellement
conçu.

Poésie donc, et la plus authentique, car les contes
présentés dans ce recueil sont, chacun à sa manière,
des chefs-d'œuvre. C'est le merveilleux païen qui
imprègne l'histoire des enfants-cygnes. Dans la forêt
puis dans le château, lieux privilégiés de tous les
sortilèges, la fée devenue femme, et combien touchante
dans sa vulnérabilité et sa beauté, est la proie de forces
maléfiques. Le rapt de ses enfants, leur métamorphose,
l'interminable torture qu'on lui inflige, apparaissent
comme autant d'épreuves, dont elle finira par triom-
pher avec la seule arme de son innocence.

En revanche, le merveilleux chrétien l'emporte dans
« Le chevalier au barisel », où le pécheur, orgueilleux

et cruel, n'obtiendra le salut qu'à la suite d'un long voyage initiatique, qui le conduira au vrai repentir. Le personnage du saint ermite, artisan de cette conversion, vient justement corriger l'image du prêtre cupide, gourmand et paillard que nous donnent les fabliaux, textes profanes, plus préoccupés de satire sociale que des réalités spirituelles.

Quant à « La fille du comte de Ponthieu », il préfigure un genre littéraire, le roman, qui, à partir du XVIIIe siècle, prendra une extension considérable. Il en possède toutes les caractéristiques : des personnages, une intrigue, des rebondissements, des aventures, voire une teinte d'exotisme. L'amour y joue un rôle majeur.

Ces contes et fabliaux, nés de la société médiévale, en reflètent les mœurs, les coutumes et les idéologies. Ils sont pour l'historien une source d'information, au même titre que les archives ou les chroniques. A travers eux, nous percevons certes des différences avec le monde moderne, qui nous surprennent, nous déroutent, parfois nous choquent. Mais l'émotion que nous éprouvons à les lire me semble se situer à un autre niveau. La vraie littérature ne se contente pas de l'écume mobile et changeante de l'histoire, mais jette ses filets dans des eaux plus profondes. Sept siècles nous séparent des hommes et des femmes ici décrits, et pourtant ils ne nous sont pas étrangers. Ce dont témoignent les fabliaux : la domination de l'argent, la soif du pouvoir, l'exploitation d'autrui, le recours à la ruse, à la fourberie, à la violence, est plus que jamais d'actualité. Les brigands ont changé de nom, et la rapacité prend d'autres masques. Par bonheur subsiste aussi l'aspiration à la justice. Quant aux grands thèmes qui traversent les contes, ils appartiennent plus encore à ce domaine intemporel qui sous-tend notre vie : affrontement du bien et du mal, épreuves qu'il nous faut franchir, quête spirituelle jalonnée de doutes et de périls, empire des passions — amour, haine, jalousie — qui nous exaltent ou nous consument. Les faits divers, la littérature ou le cinéma contemporains nous révèlent qu'au XXᵉ siècle comme au Moyen Age, on meurt encore d'amour.

C'est peut-être la plus haute vertu des œuvres anciennes, que de nous relier à un passé en nous toujours vivant, et de nous unir à d'autres hommes, dont nous reconnaissons, par sympathie, les joies et les souffrances. Au-delà du temps, nous échappons ainsi à l'étroitesse et à la solitude. Je souhaite que le lecteur de cette anthologie en fasse l'expérience, et qu'il éprouve aussi, au fil de ces histoires, tour à tour comiques ou tragiques, le vrai plaisir des mots.

JEAN JOUBERT.

Le cupide et l'envieux

par Jean Bodel

Seigneurs, après avoir raconté des récits de pure imagination, je veux maintenant m'appliquer à rapporter des histoires véridiques, car celui dont le métier est de dire des fables n'est pas un conteur digne de s'adresser à une noble assistance s'il est incapable de relater des choses vraies ou au moins vraisemblables. Celui qui est expert en l'art de conter se doit, entre deux récits d'imagination, de rapporter des aventures vécues.

C'est la vérité pure, vivaient jadis, il y a bien une centaine d'années, deux compagnons qui menaient une fort mauvaise vie, car l'un était si envieux que personne ne l'était plus que lui, et l'autre était si cupide que rien ne pouvait le combler. Ce dernier était sans doute le pire des deux, car la cupidité[1] est de telle nature qu'elle avilit maintes personnes ; elle fait prêter à usure et tricher sur les mesures par désir d'en avoir plus. L'envie est aussi exécrable, car elle aiguillonne tout le monde.

Notre envieux et notre cupide chevauchaient un jour de compagnie lorsqu'ils rencontrèrent, je crois, saint Martin dans une campagne. Il ne lui fallut que peu de temps passé en leur compagnie pour s'apercevoir des mauvais penchants qui étaient enracinés au fond de leur cœur. Ils arrivèrent bientôt à une chapelle d'où partaient deux chemins très fréquentés. Saint

1. *Cupidité* : convoitise, désir immodéré de l'argent et des richesses.

Martin s'adressa alors aux deux compagnons qui se comportaient de manière si détestable.

« Seigneurs, leur dit-il, à cette chapelle je poursuivrai mon chemin en prenant sur la droite mais vous retirerez bénéfice de m'avoir rencontré. Je suis saint Martin, le prudhomme[1]. Que l'un ou l'autre de vous me demande un don ; il aura immédiatement ce qu'il désire et celui qui n'aura pas parlé en aura sur-le-champ deux fois autant. »

Alors le cupide pense en lui-même qu'il laissera parler son compagnon et qu'il en aura deux fois plus que lui. Il convoite ardemment un double gain.

« Demande, fait-il, cher compagnon. Tu obtiendras à coup sûr tout ce qu'il te viendra à l'esprit de demander. N'hésite pas à demander largement : si tu sais te débrouiller pour faire un bon souhait, tu seras riche toute ta vie ! »

Celui qui avait le cœur plein d'envie n'avait pas l'intention de demander ce qu'il aurait voulu, car il serait mort d'envie et de rage si l'autre en avait eu plus que lui. Aussi restèrent-ils tous les deux un bon moment sans prononcer une parole.

« Qu'attends-tu ? Qu'il ne t'en arrive malheur ? fait celui qui était plein de cupidité. J'en aurai le double de toi et personne ne m'en empêchera. Demande vite ou je te battrai comme jamais âne ne le fut au Pont[2] !

— Sire, répond l'envieux, sachez-le, je vais demander un don avant que vous ne me fassiez mal. Si je demandais de l'argent ou quelque bien, vous en voudriez bien avoir deux fois plus. Mais si je peux, vous n'en aurez aucun bénéfice ! Saint Martin, dit-il, je vous demande de perdre un œil et que mon compagnon en perde deux : ainsi il sera doublement puni ! »

---

1. *Prudhomme*. Littéralement, *homme preux*, c'est-à-dire homme de valeur et modèle de vertu. Le terme était, au Moyen Age, souvent appliqué à des saints.
2. Le *Pont aux ânes* était un pont imaginaire, symbolique, rendu célèbre par de nombreux récits (et plus tard, au XVᵉ siècle, par une farce) ; on ne pouvait le faire franchir aux ânes qu'en les battant.

Le cupide eut les yeux crevés sur-le-champ. Saint Martin tint parfaitement sa promesse : sur quatre yeux, ils en perdirent trois, ils n'en retirèrent pas autre chose. Saint Martin rendit l'un borgne et l'autre aveugle : par la faute de leurs souhaits, tous les deux y perdirent. Maudit soit celui qui s'en afflige, car ces deux hommes étaient de mauvaises gens.

Souvent, pour donner plus de poids à leur récit et lui conférer une valeur d'enseignement, les jongleurs insistent sur sa véracité. Bien entendu, l'histoire est ici une pure fiction mais elle illustre un comportement qui, lui, est bien réel : nous sommes dans la plus pure tradition des *exempla* latins (les *exempla* étaient des histoires morales destinées à éduquer le lecteur en frappant son imagination). Le conteur dénonce l'un des défauts considérés comme les pires au Moyen Age : la cupidité, qui s'oppose à la vertu chrétienne première qu'est la *largesse*, générosité et charité envers son prochain.

Le prévôt à l'aumusse[1]

Ce fabliau raconte l'histoire d'un chevalier qui aurait bien pu passer pour un comte. Il était riche, pourvu de grands biens et avait une épouse dont il avait eu des enfants selon la coutume et l'usage. Pendant vingt ans et plus, ce chevalier vécut sans susciter querelle ou conflit autour de lui. Il était fort aimé dans sa contrée tant par ses gens que par autrui. Un jour, il lui prit envie de partir en pèlerinage à Saint-Jacques-de-Compostelle. Il donna sa terre à garder à un sien prévôt[2]. C'était une franche canaille, mais il s'était enrichi et sa réputation s'en était accrue ainsi que cela arrive à maints coquins. Ce prévôt s'appelait Gervais et était fils d'Erambaut Brasse-Huche. Il avait une grosse tête carrée et portait une aumusse de grosse bure[3], bien fourrée pour se protéger du froid. C'était un homme vil et fourbe et de basse origine.

Le chevalier se prépara comme il le devait et, un jour, il quitta son château pour accomplir son pèlerinage. Il chevaucha tant à travers les prairies et les forêts qu'il arriva finalement à Saint-Jacques-de-Compostelle. Il offrit plus de vingt deniers[4] au saint

1. L'*aumusse* était une sorte de capuchon fourré qui protégeait la tête.
2. Le *prévôt* est, au Moyen Age, un officier seigneurial chargé de maintenir l'ordre et de faire respecter la justice seigneuriale.
3. La *bure* est une étoffe de laine grossière. Le terme *bureau* qui en est dérivé a successivement désigné un tapis de table (XIIIe s.), puis la table elle-même (XVIe s.) puis la pièce où se trouve la table (XVIIe s.).
4. Le *denier* est, au Moyen Age, l'unité monétaire.

puis reprit le chemin du retour. Sans faire de détours, il revint comme il était venu, tant et si bien qu'il arriva à un jour de voyage de son logis.

Au matin, il envoya un sien écuyer demander à sa femme et à ses amis de venir à sa rencontre, car il était heureux et n'avait pas de soucis. Il demanda aussi que l'on prépare à son logis un bon repas avec de la viande et du poisson en abondance et avec du vin en grande quantité afin que tout le monde en ait

Le prévôt à l'aumusse.

à sa suffisance. L'écuyer se hâta tant qu'il arriva vite au château où il fut accueilli par tous ceux et celles qui l'aimaient avec de grands transports de joie.

Le lendemain, les amis du chevalier montèrent à cheval et vinrent à sa rencontre. Ils l'escortèrent avec un grand plaisir jusqu'au château où le repas était préparé. Gervais, le prévôt, ne s'était pas oublié : il était là avant même que tout le monde fût descendu de cheval ; et il faisait semblant de se réjouir. Le chevalier était un homme affable ; il prit soin de tous ses invités et, pour l'honorer, il fit asseoir son prévôt Gervais à table à côté d'un riche chevalier, en face du fils Micleart.

Comme premier mets, ils eurent des pois avec du lard dont les morceaux, qui étaient servis dans les écuelles, étaient énormes. Ce plat plut beaucoup au prévôt, surtout lorsqu'il vit la tranche de lard grosse et épaisse qu'on lui avait servie, et il se jeta sur son écuelle. Puis il pensa que s'il pouvait en dérober un morceau, il le ferait durer plus longtemps en le ménageant. Or le chevalier qui devait manger avec lui[1] ne prêtait pas attention : il parlait à un sien compagnon qui était assis à côté de lui. Le prévôt se baissa, comme s'il voulait se moucher, et, dans le dos du chevalier, il glissa le morceau de lard dans son aumusse qui était large et profonde et la rabattit sur sa tête comme si de rien n'était.

Un valet mit alors une bûche sur le feu qui se mit à flamber avec ardeur. Gervais essaya bien de se reculer mais cela ne lui était guère possible, car il était assis dans l'angle d'un mur, de sorte qu'il ne pouvait ni s'écarter ni reculer. Il commença alors à avoir très chaud et le lard qui était sous son capuchon se mit à fondre et à couler dans ses yeux et sur son visage qui

---

1. On peut comprendre ici que, selon une coutume assez répandue, le prévôt et le chevalier mangeaient dans la même écuelle, ce qui était pour le prévôt une marque d'honneur puisqu'il était de moindre noblesse. Aussi son geste est-il doublement répréhensible : il vole une nourriture qui est aussi celle de son compagnon de table et se montre de ce fait indigne de l'honneur qui lui avait été fait.

ressemblait à de la viande de vache grasse. Un valet faisait le service devant lui ; il était ennuyé de voir que le prévôt semblait gêné par son aumusse fourrée. D'un coup de baguette, il lui rabat son capuchon et le morceau de lard tombe sur le manteau du chevalier qui était assis près de lui.

Maintenant, écoutez bien ce que fit le prévôt : il sauta d'un bond par-dessus le feu et se précipita vers la porte. Mais les écuyers qui servaient et qui avaient vu toute l'affaire le bousculèrent de telle sorte qu'ils le firent s'étaler à terre puis ils le rouèrent de coups. Les cuisiniers sortirent de la cuisine et sans s'enquérir de ce qui s'était passé, ils tirèrent du feu des bûches enflammées et le frappèrent à tour de bras. Ils le frappèrent tellement qu'ils lui brisèrent les reins et, à coups de pied, de poing et de bâton, ils lui firent plus de trente plaies, à tel point qu'il en fit dans sa culotte. Et, pour finir, ils le traînèrent hors de la maison en le tirant par les bras et ils le jetèrent dans un fossé où l'on avait mis un chien crevé. Le morceau de lard lui causa ainsi une bien grande honte.

La morale de ce fabliau, c'est que certains s'enrichissent en volant mais que souvent Dieu, qui mourut sur la croix, les punit d'une manière que les pauvres gens jugent bien méritée.

Beaucoup de fabliaux sont des illustrations de proverbes. On pense ici à « Bien mal acquis ne profite jamais ». On peut s'étonner de la cruauté de la punition infligée au prévôt, laquelle est sans rapport avec la faute commise. Mais le Moyen Age n'était pas tendre et les coups sont la seule justice applicable à un être que son défaut majeur (la cupidité) amène à violer les lois sacrées de l'hospitalité et qui, ainsi, s'exclut de la société et se ravale au rang des animaux nuisibles. D'ailleurs la peinture du portrait physique du prévôt le souligne : sa difformité est le signe extérieur de tares morales. Il est une créature du diable.

La couverture partagée

Je veux vous raconter une histoire véridique et je ne mentirai pas d'un mot, car il n'est nul besoin de mentir.

Jadis, ainsi qu'on me l'a raconté, vivait dans la ville de Poitiers un homme riche et rempli de sagesse qui aimait beaucoup ses enfants. Il avait un fils qu'il adorait et je peux bien vous affirmer que jamais nul homme ne se dévoua autant pour son enfant que ce père le faisait. Il le comblait autant qu'il le pouvait et jamais il ne s'en lassa. Le garçon grandit et mûrit tant et si bien qu'il convint de le marier. Et le bonhomme, pour assurer à ce fils une existence aisée, lui donna meubles et argent. Il se démit à son profit de tout ce qu'il possédait. De tout ce qu'il avait, il ne garda guère pour lui de choses qui valussent plus de deux œufs.

Le garçon vécut heureux en ménage jusqu'à ce que sa femme eût un fils qui se montra plus tard d'une grande sagesse. Pendant longtemps ce brave homme de père mena avec eux une vie paisible jusqu'au jour où l'épouse de son fils, qui le haïssait, ne put cacher plus longtemps son dépit. Elle dit à son mari :

« Pensez-vous donc être riche ? Même si vous possédiez plus que vous n'avez, par saint Pierre, ce vieillard finirait par vous ruiner. Il ne mérite même pas ce qu'il mange. Non seulement il ne gagne pas son pain mais, de plus, il est constamment ivre ! Et jamais on n'en sera débarrassé. Maintenant je vous préviens ; il n'y a pas à hésiter : ou il videra les lieux ou, j'en mets ma main au feu, je le congédie moi-même dès demain matin. »

Ce sont là les propos que lui tint sa femme, et le jeune homme lui répondit qu'il ne s'opposerait pas à ce qu'elle réclamait. Ainsi à cause de sa femme, il accepta de réduire à la misère son père qui, pour lui, s'était mis sur la paille.

Au matin, il entreprit de lui dire ce qu'il aurait dû taire :

« Beau père[1], vous êtes resté chez moi maints hivers et maints étés et jamais vous n'avez cherché à faire quoi que ce soit qui eût demandé un petit effort. Vous n'avez fait que vous enivrer. Vous ne méritez plus de vivre ; allez vous cacher dans une vieille cahute. Et sachez que je ne veux plus vous voir chez moi, car il n'y a pas en vous la moindre parcelle de raison. »

Quand le père l'entendit parler ainsi, il en fut atterré et profondément attristé ; accablé par le chagrin, il ne pouvait prononcer un mot. Il resta longtemps ainsi puis finit par dire en pleurant :

« Beau fils, je t'ai élevé, et sache bien que jamais je ne t'ai causé de souci pour me nourrir ; et sache encore que, pour t'être agréable, je t'aurais comblé d'or et d'argent si cela n'avait dépendu que de moi. Maintenant, tu veux me chasser et je ne sais même pas où aller. Le jour où je me suis entièrement démuni pour toi, j'ai perdu et mes biens et mes amis. Mais je veux au moins te demander une chose puisque personne ne peut le faire pour moi : je suis vieux et faible ; puisque tu veux me chasser de ta maison, donne-moi au moins une robe. Je n'ai plus ni chausses[2], ni souliers. Me faire partir dans cet état serait une bien mauvaise action. »

Et le fils répondit :

« Je me moque de tout cela. Vous êtes encore plein de malice ! Je suis excédé de vous voir encore vivre !

1. *Beau père, beau fils* : ces qualificatifs qui ne traduisent nullement des rapports de parenté sont utilisés au Moyen Age pour traduire la déférence, le respect ou l'affection à l'égard de la personne à laquelle on s'adresse.
2. *Chausses* : ce terme, qui remplace celui de *braies*, désigne au Moyen Age la culotte.

Ne comptez pas sur moi pour vous faire du bien ou pour subvenir à vos dépenses.

— Beau fils, donne-moi une vieille robe parmi celles que tu ne portes plus ou une des vieilles couvertures dont tu te sers pour couvrir les chevaux. Et ensuite fais ouvrir ta porte : je partirai quand il te plaira et tu n'entendras plus jamais parler de moi.

— Ah ! fit-il, je ne peux vous le refuser. Allez dire à mon fils de vous donner une vieille housse de cheval et couvrez-vous-en de la tête aux pieds. »

Le brave homme s'en alla sans plus attendre trouver son petit-fils qui soignait les chevaux. Il lui dit qu'il lui fallait partir et il lui raconta la dispute que lui avait faite son père.

« Mais toutefois, ajouta-t-il, il n'a pu refuser de me donner une vieille couverture de cheval. Beau fils, sachez qu'il m'a chargé de vous dire de me donner la plus grande. Veillez à ne pas lui désobéir ! »

Quand l'enfant l'entendit lui raconter cela, il en fut saisi d'étonnement, de tristesse et de colère :

« Eh bien, allez dire à mon père que vous n'avez pas eu gain de cause : vous n'aurez que la moitié de la couverture, je vous le certifie. Pour ce qui est de l'autre, je refuse de vous la donner. »

Quand le brave homme entendit cette réponse, il en ressentit une si grande douleur qu'il aurait aimé en mourir sur-le-champ. Il revint en courant trouver son fils :

« Beau fils, lui dit-il, si tu veux faire respecter tes ordres, il te faut venir avec moi dans l'étable, car ton fils s'y oppose ; il a déclaré fermement que je n'en aurais que la moitié. Je ne sais pour quelle raison. Mais puisque tu veux me chasser, aie au moins la bonté de me la faire avoir en entier. »

Le fils, qui redoutait que les choses ne traînent en longueur, lui répondit :

« Vous l'aurez toute, quelles que soient les intentions du garçon. »

Et il dit à son fils :

« Il me déplaît que tu m'aies désobéi. »

Le garçon lui répondit alors :

« Mais je n'ai pas mal agi ! Au contraire, je pense avoir de bonnes raisons. Et je vais vous dire tout de suite pourquoi je ne veux pas lui donner la couverture avant de l'avoir partagée. Savez-vous pourquoi je l'ai coupée et pourquoi j'en ai gardé une moitié ? C'est vous, si j'en ai le pouvoir, qui l'userez quand vous aurez son âge. Et je ne vous mens pas : je vous habillerai de la même manière que vous habillez votre père qui paie bien cher toute la peine qu'il a prise pour vous. Regardez : il n'a ni robe, ni chemise ! Vous l'avez bien mauvaisement récompensé ! Je vous taillerai un habit dans le même drap ! »

En entendant ainsi parler son fils qui raisonne des plus sainement, le père est rempli d'étonnement et de honte :

« Cher fils, lui dit-il, j'ai bien mal agi mais, Dieu me pardonne, tu m'as ouvert les yeux et je t'en remercie. Maintenant, il ne me reste plus qu'à supplier mon père, au nom de Dieu, de bien vouloir me pardonner cette grande faute et de me donner sa bénédiction. »

Le prudhomme lui pardonna tout et son fils aussitôt lui rendit tous les biens et le bétail de la maison que le brave homme géra à son gré, lui qui aurait pu souffrir un terrible martyre si l'enfant qui avait refusé de lui donner la couverture, n'avait rien dit.

Par cet exemple, je veux vous montrer que celui qui donne tout ce qu'il possède à son fils, est loin d'être sage mais commet plutôt une folie. Nul ne peut plus agir à son gré si son avoir est confondu avec celui d'un autre car alors il devient dépendant de lui. Utilisez vous-mêmes ce que vous possédez, à votre gré et sans en référer à personne. C'est ainsi que je conclurai mon conte.

Il est inutile de s'étendre longuement sur ce conte moral très connu qui dénonce l'ingratitude. Nous soulignerons simplement qu'il évoque aussi, en passant, deux thèmes chers à la pensée médiévale : celui de la méchanceté foncière de la femme, cupide, égoïste et acariâtre, et celui de la sagesse instinctive de l'enfant, resté dans sa naïveté plus proche d'une nature fondamentalement bonne puisque créée par Dieu.

Le prudhomme[1]
qui sauva son compère
de la noyade

Un pêcheur était un jour allé en mer avec son bateau pour tendre ses filets. En regardant les flots, il vit juste devant lui un homme sur le point de se noyer. Il était énergique et habile ; il bondit, prit un grappin et le lança. Mais le grappin frappa le naufragé en plein visage et lui entra dans l'œil. Le pêcheur le ramena néanmoins jusqu'au bateau et, sans plus attendre, laissant là ses filets, il revint au port. Il fit porter le blessé dans sa maison, le soigna et le servit jusqu'à ce qu'il fût rétabli.

A quelque temps de là, le rescapé s'avisa qu'ayant perdu son œil, il avait subi un grand dommage :

« Ce vilain[2] m'a crevé l'œil et il ne m'a pas dédommagé. Je vais aller porter plainte contre lui pour l'ennuyer un peu. » Il alla donc se plaindre au maire du village et celui-ci les convoqua pour un jour prochain. Le jour dit, les deux parties vinrent au

1. *Prudhomme* : homme sage, honnête et de bon conseil.
2. Le *vilain* est, au Moyen Age, un paysan, un villageois. Mais le terme n'est pas alors péjoratif. Cependant, le paysan étant souvent perçu comme un homme rustre, grossier et sale, le terme, utilisé comme adjectif, est devenu synonyme de *laid*. Ces deux sens apparaissent dans la chanson *En passant par la Lorraine* :
« En passant par la Lorraine
[...]
Ils m'ont appelée vilaine (= paysanne)
[...] Je ne suis pas si vilaine (= laide). »

tribunal. Celui qui avait perdu un œil parla le premier car c'était lui le plaignant.

« Seigneur, dit-il, je porte plainte contre cet homme qui, il y a quelques jours, me frappa méchamment avec un grappin : il m'a crevé l'œil, me causant ainsi un lourd dommage. Je veux qu'on me rende justice ; je ne demande pas plus et je n'ai rien à dire d'autre. »

L'autre répliqua sur-le-champ :

« Seigneur, c'est vrai que je lui ai crevé l'œil et je ne peux pas le contester. Mais je veux vous expliquer comment cela s'est passé afin de savoir si j'ai eu tort. Cet homme était en péril de mort, abandonné aux flots et sur le point de se noyer. Je lui portai secours et, je ne le cache pas, je le frappai avec mon grappin. Mais c'est pour son bien que j'ai fait cela : car ainsi je lui ai sauvé la vie. Je n'ai rien d'autre à ajouter. Pour l'amour de Dieu, rendez-m'en justice. »

Les juges étaient fort perplexes pour rendre une sentence. Mais un bouffon qui assistait au procès leur dit :

« Qu'attendez-vous ? Ordonnez que cet homme qui parla le premier soit remis à la mer, à l'endroit précis où l'autre l'a frappé au visage et, s'il s'en sort tout seul, alors l'autre devra le dédommager pour son œil. C'est là, me semble-t-il, une sentence équitable. »

Alors tous les juges s'écrièrent :

« Tu as très bien parlé, il n'en ira pas autrement. »

Et le jugement fut rendu. Quand le plaignant entendit qu'il serait rejeté dans la mer à l'endroit où il s'était trouvé, où il avait tant souffert dans l'eau glacée et où il ne serait pas retourné pour tout l'or du monde, il retira sa plainte. Ce qui ne l'empêcha pas d'être blâmé par beaucoup.

Aussi je vous dis bien franchement que c'est perdre son temps que de rendre service à un être perfide. Sauvez de la potence un vaurien qui vient de commettre un méfait, il ne vous en aimera pas plus ; bien au contraire, il vous haïra. Jamais un méchant homme ne saura gré à celui qui lui aura fait du bien ; il oublie vite et n'a aucune reconnaissance ; et, si un jour les rôles s'inversaient, il serait même tout prêt à lui nuire !

Encore un *exemplum* sur l'ingratitude. Mais ce qui en fait l'originalité c'est d'une part qu'il est une nouvelle illustration du jugement de Salomon (la sagesse de Salomon est illustrée dans la Bible par un procès difficile qu'il eut à trancher : deux femmes, demeurant ensemble, se disputaient un enfant ; la contestation étant portée devant Salomon, celui-ci se fit apporter un couteau pour partager l'enfant en deux et leur en donner à chacune une moitié. L'une s'écriant alors qu'elle aimait mieux que l'on donnât l'enfant tout entier à l'autre femme, Salomon lui fit aussitôt remettre l'enfant car elle avait prouvé par ce mouvement de tendresse qu'elle était la vraie mère) et, d'autre part, que la sentence est suggérée par un bouffon, un fou de profession. C'est là une préfiguration de ce qui deviendra l'un des thèmes dominants de la pensée du xvᵉ siècle (et trouvera son illustration dans le théâtre des *sotties*, pièces dont les acteurs sont des *sots* qui critiquent le monde avec bon sens), pour laquelle, en application du verset : « Heureux les pauvres d'esprit, le Royaume des Cieux leur appartient », celui qui se croit sage est fou et seul le fou est véritablement sage. Plus proche de Dieu, donc de la Vérité, il est dans une position d'exclusion et de supériorité vis-à-vis de la société tout entière.

Le prêtre
qui eut une mère malgré lui

Ce fabliau — c'est la vérité — nous rapporte l'histoire d'un prêtre qui avait une vieille mère acariâtre et pleine de fourberie. Elle était bossue, affreusement laide et contrariante en toute chose. Tout le monde n'éprouvait pour elle que répulsion. Le prêtre lui-même n'aurait voulu à aucun prix qu'elle vienne chez lui tant elle était folle. Elle était trop cancanière et avait trop mauvais esprit. Le prêtre avait une belle amie dont il pourvoyait à la garde-robe : elle avait une belle robe, un bon manteau, deux belles pelisses de fourrure, l'une d'écureuil l'autre d'agneau, et de riches tissus brodés d'argent. Cela faisait beaucoup jaser. Mais la vieille jasait encore bien plus que tout le monde de la maîtresse du prêtre et elle disait à son fils lui-même qu'il n'éprouvait pas pour elle le dixième des sentiments qu'il éprouvait pour son amie ; que cela se voyait bien car il ne voulait rien lui offrir, ni surcot[1], ni robe, ni pelisse.

« Taisez-vous, répondait-il, vous êtes sotte ! Que me reprochez-vous puisque vous avez du pain à manger, du potage et des pois ! Et encore est-ce bien malgré moi car vous m'avez fait bien du tort. »

La vieille rétorquait que cela n'était rien :

« Je voudrais que dorénavant vous me promettiez

---

1. Le *surcot* est un vêtement qui se porte *sur* la *cotte*, c'est-à-dire sur la robe.

de m'entretenir avec grand honneur comme il sied à votre mère. »

Le prêtre lui répliqua un jour :

« Par saint Pierre, vous pourrez bien faire tout ce que vous voudrez, vous ne mangerez plus à ma table et vous ne coucherez plus sous mon toit !

— Si.

— Non.

— Ah ! non ? fit la vieille. Eh bien, j'irai trouver l'évêque et je lui raconterai votre conduite et comment vous vivez et comment vous entretenez une concubine.

— Sortez d'ici, explosa le prêtre. Vous n'êtes qu'une vieille malfaisante. Et ne revenez jamais. »

Alors la vieille s'en alla, folle de rage. Elle se rendit tout droit chez l'évêque, se jeta à ses pieds et se plaignit de son fils qui ne l'aimait guère et ne lui faisait pas plus de bien qu'il n'en ferait à un chien. « Il n'a d'yeux que pour sa maîtresse et se soucie peu d'une autre voisine ; et celle-ci obtient tout ce qu'elle veut... » Quand la vieille eut vidé son sac devant l'évêque, celui-ci lui répondit qu'il ne voulait pas se prononcer mais qu'il ferait convoquer son fils pour qu'il comparaisse au jour dit devant la cour. La vieille le salua et repartit sans une autre réponse. L'évêque assigna le prêtre à comparaître à son tribunal, car il voulait l'obliger à rendre justice à sa mère. Je crains fort qu'il ne le paie cher !

Le temps passa et le jour arriva où l'évêque tenait ses assises. Il y avait une nombreuse assemblée de clercs[1] et de laïcs et au moins deux cents prêtres. La vieille n'a pas manqué de venir ; elle s'est adressée à l'évêque et lui a rappelé son affaire. L'évêque lui dit de ne pas s'éloigner et que sitôt que son fils viendra,

---

1. Le terme de *clerc* désignait au Moyen Age un lettré, un étudiant ayant accompli sa *clergie* (ses études) et ne se destinant pas nécessairement à une carrière ecclésiastique. Mais lorsque le terme est utilisé, comme ici, en opposition à *laïc*, il désigne des religieux.

il le suspendra et lui retirera son bénéfice[1], qu'elle en soit assurée. La vieille, qui était sotte et niaise, crut, en l'entendant parler de suspendre, qu'on allait pendre son fils. Elle se dit en elle-même : « Malheureuse ! Pourquoi suis-je venue me plaindre à lui ! C'est le diable qui a présidé à ma naissance puisque c'est mon cher fils, que j'ai porté dans mes flancs, que l'on va pendre ! » Elle en fut toute retournée et resta un long moment comme hébétée. Puis, elle eut l'idée, la vieille fourbe, de faire croire à l'évêque que le premier prêtre venu était son fils.

Entre alors un prêtre bedonnant, au cou gras et gros. Aussitôt la vieille se mit à crier à l'évêque :

« Sire, sire, c'est ce gros prêtre-là qui est mon fils, Dieu m'en soit témoin ! »

L'évêque fit sur-le-champ venir le malheureux.

« Venez ici, prêtre dévoyé et dites-moi pourquoi vous reniez votre mère ici présente. Dieu préserve mon âme, j'ai bien envie de vous suspendre ! La pauvre femme qui ne peut compter que sur vous est des plus misérables et vous habillez votre maîtresse avec des robes fourrées de petit-gris[2] ! Voilà une bonne manière de gérer la rente qui vous a été confiée ! »

Le prêtre était fort ébahi des paroles de l'évêque.

« Monseigneur, lui répondit-il, Dieu m'en soit témoin, il y a bien longtemps que je n'ai plus de mère et je ne pense pas avoir jamais rencontré cette vieille auparavant. Et sachez bien que si je pouvais penser que c'est ma mère, je ne tiendrais pas de tels propos.

— Quoi ! fit l'évêque, par saint Pierre, vous êtes vraiment trop fourbe et vous faites un bien mauvais prêtre : vous êtes excommunié puisque vous reniez votre mère, et je vous suspends ; il n'en ira pas autrement ! »

Le prêtre eut un coup au cœur et fut plus qu'éperdu

---

1. *Bénéfice* : patrimoine attaché à une charge ecclésiastique avec son revenu. Ici il s'agit de la *cure* confiée au prêtre, cure dont il tire des revenus.
2. La fourrure de *petit-gris* était une fourrure très recherchée, faite de peaux d'écureuils.

quand il entendit qu'on le suspendait. Il implora la pitié de l'évêque et lui promit de se plier à ce qu'il lui ordonnerait.

« Je l'accorde, dit l'évêque. Prenez votre palefroi[1] ; faites-y monter votre mère et faites en sorte que je n'entende d'elle aucune nouvelle plainte. Portez-lui grand honneur et vêtez-la comme il convient. »

Alors le prêtre s'en retourna dès que l'évêque lui eut donné congé : il lui tardait d'être ailleurs. Il emmène la vieille devant lui sur le cou de son palefroi en sachant bien que, malgré lui, il sera contraint de lui assurer le nécessaire. Il n'avait encore pas parcouru une lieue qu'il rencontra, au fond d'une vallée, le fils de la vieille. Il se dirigea vers lui et le mit au courant des nouvelles. L'autre lui dit qu'il se rendait au tribunal de l'évêque où il avait été assigné. En même temps, il regarda sa mère et vit qu'elle lui faisait signe de passer outre et de ne pas lui adresser la parole. Quand il se fut tu, l'autre prêtre lui dit :

« Allez donc, compagnon, et que Dieu vous réserve une autre surprise que celle que j'ai eue, quand vous arriverez au tribunal ! L'évêque m'a donné une mère : à tort ou à raison, j'emmène cette vieille hideuse et il me faut l'entretenir ! »

Alors le fils de la vieille ne put se retenir de rire et il se prit à dire au prêtre :

« Ne vous lamentez pas parce que vous emmenez votre mère !

— Ma mère ! Sire, répondit le prêtre, ma mère ! Au diable puisse-t-elle être car elle ne fut jamais ma mère. »

L'autre lui proposa alors :

« Si, pour vous réconforter, on vous proposait de vous débarrasser de cette vieille, de la nourrir, de l'habiller et de la pourvoir du nécessaire, à condition

---

1. Le *palefroi* est un cheval de promenade, de parade, alors que le *destrier* est un cheval de bataille et de joute et le *roncin* un cheval de charge.

qu'elle soit d'accord, que donneriez-vous pour cela, beau sire ?

— Par saint Cyr[1], dont je suis le chapelain, s'il se trouvait un clerc ou un vilain pour me débarrasser d'elle, la vêtir et la chausser, je donnerais bien quarante livres.

— Alors vous en serez débarrassé, si vous me donnez cette somme, fit-il. Mais prenez garde à tenir votre engagement.

— Encore faut-il que la vieille le veuille », répondit l'autre.

La vieille déclara alors :

« Dieu m'en soit témoin, j'accepte volontiers. »

Le prêtre paya donc ce qu'il avait promis et s'engagea à verser une rente.

Maintenant le fils de la vieille peut dépenser sans souci et sans compter, car l'autre lui donne l'argent et respecte sa parole. C'est ainsi que se termine ce fabliau que nous avons mis en vers pour le conter à nos amis.

1. *Saint Cyr* : le nom du saint est sans doute choisi ici pour faire un écho comique à « Beau sire ». *La Légende dorée* rapporte que Cyr, martyr chrétien, mourut à l'âge de trois ans, illuminé par la Grâce divine malgré son jeune âge. Ici, faire du malheureux prêtre le chapelain de saint Cyr, c'est à mots couverts lui attribuer la naïveté d'un enfant ; ce qui est le cas dans le récit.

Ce fabliau est fondé sur une confusion entre les deux sens du mot *suspendre*, le sens le plus usuel et concret de *suspendre un objet*, et le sens juridique abstrait de *mettre fin aux fonctions de quelqu'un* (et donc ici de *retirer un bénéfice*). Cette confusion est comique dans la mesure où elle dénote la bêtise du personnage qui la commet et dont on se moque ainsi (la vieille est ici infiniment moins sympathique que celle qui « graissa la patte au chevalier » ; voir p. 39). Mais ce jeu sur l'incompréhension du langage, qui, au XVe siècle, deviendra un des thèmes favoris de la *farce*, montre combien la langue est un outil de communication imparfait entraînant bien des erreurs.

Soulignons encore que dans ce fabliau, dont la satire s'exerce aux dépens des prêtres, c'est une innocente victime qui est punie : ce prêtre bedonnant, gros et gras, qui a le malheur d'arriver à un mauvais moment. Paradoxalement, le fils de la vieille, qui vit avec une concubine et dont l'immoralisme est patent, se tire fort bien de l'aventure. Est-ce à dire que les conteurs admettent comme une chose naturelle qu'un prêtre puisse ainsi manquer à ses vœux de chasteté (d'ailleurs l'évêque blâme plus le prêtre pour avoir renié sa mère que pour avoir entretenu une maîtresse !) alors qu'ils ne lui pardonnent pas de se laisser aller au péché de gourmandise ? En fait, il faut voir dans cette attitude du conteur beaucoup plus une convention littéraire et un artifice pour provoquer le rire qu'une peinture des réalités du temps : les prêtres de l'époque n'étaient pas des débauchés mais, nantis de gros revenus, ils étaient un objet de jalousie, et le meilleur moyen pour les conteurs désargentés, souvent clercs eux-mêmes, de prendre leur revanche était de présenter ceux qui incarnaient la morale sous les traits de débauchés. Et c'était là d'ailleurs une idée comique qui faisait recette si l'on en juge par le nombre de fabliaux qui présentent des prêtres ayant des aventures galantes.

Le testament de l'âne
par Rutebeuf

Celui qui, à notre époque, veut vivre de manière honorable et suivre l'exemple de ceux qui cherchent à faire fortune, risque d'avoir beaucoup d'ennuis, car il y a au monde bien des médisants et des envieux qui sont prêts à lui nuire. Si agréable et si complaisant soit-il, sur dix personnes réunies chez lui, il trouvera six médisants et neuf envieux qui, dès qu'il a le dos tourné, ne lui témoignent aucune estime et qui, par-devant, lui font fête, chacun l'approuvant de la tête. Comment ceux qui ne bénéficient pas de ses faveurs peuvent-ils ne pas le jalouser quand ceux-là mêmes qui mangent à sa table ne font preuve d'aucune loyauté à son égard ? Il ne peut en être autrement : c'est pure vérité.

J'illustrerai ces propos par l'histoire d'un prêtre, curé d'une bonne paroisse, qui avait mis toute son intelligence à en tirer de bons revenus. Il s'y était appliqué et il possédait maintenant une bonne fortune, des robes et des greniers pleins de grain qu'il savait fort bien vendre, attendant, si cela était nécessaire, les meilleurs marchés entre la saint Rémi et Pâques[1]. Et aucun de ses amis, si attaché lui fût-il, n'eût pu tirer quelque chose de lui autrement que par la force. Il avait chez lui un âne comme on n'en vit jamais, qui le servit pendant vingt ans : de tels serviteurs n'exis-

---

1. La saint Rémi tombe le 15 janvier : le prêtre attend donc que le grain soit devenu rare et cher pour vendre.

tent sans doute pas. L'âne, qui avait contribué à son enrichissement, mourut de vieillesse. Le prêtre, qui tenait beaucoup à lui, ne voulut pas le laisser dépecer et l'enterra au cimetière. Je n'en dirai pas plus.

L'évêque était d'une autre trempe ; il n'était ni avare, ni envieux mais courtois et fort bien éduqué car, même alité et malade, il n'aurait pu rester au lit s'il avait reçu la visite d'un homme de bien. La compagnie de bons chrétiens valait pour lui celle des meilleurs médecins. Sa maison était pleine tous les jours ; ses serviteurs lui étaient dévoués et quoi qu'il demandât, il était servi de bonne grâce. Il était bien pourvu mais surtout de dettes, car qui trop dépense s'endette.

Un jour que cet homme affable et vertueux était entouré d'une grande compagnie, on parla des clercs enrichis et des prêtres chiches et avares qui n'honoraient d'aucun don leur évêque ou leur seigneur. On en vint à parler de notre prêtre qui était si riche et si bien pourvu. On décrivit sa vie comme si on l'avait lue dans un livre et on lui prêta trois fois plus d'avoir qu'il n'en possédait réellement car souvent on imagine bien plus de choses qu'il ne s'en révèle à l'examen.

« Encore a-t-il fait une chose qui lui coûterait cher si elle était révélée, ajouta quelqu'un qui voulait se distinguer, et cela ne serait que juste punition.

— Et qu'a-t-il fait ? demanda l'évêque.

— Il a fait pire qu'un bédouin[1] car il a mis son âne Baudoin en terre bénite !

— Maudit soit-il, s'écria l'évêque. Si cela est vrai, il faut qu'il le paie de sa personne et de ses biens. Gautier, convoquez-le ; nous entendrons ce que ce prêtre répond aux accusations de Robert. Et j'affirme, Dieu m'en soit témoin, que si c'est vrai, il m'en paiera une amende.

— Je veux bien que l'on me pende si ce que je dis

---

1. Le *bédouin* est un nomade musulman, donc, pour les chrétiens, un infidèle voué à l'enfer.

n'est pas vrai. Et j'ajouterai qu'il ne vous a jamais fait le moindre don ! »

Le prêtre fut convoqué et il se présenta au tribunal pour répondre à l'évêque de cette accusation qui risquait de le faire suspendre.

« Fourbe impie, ennemi de Dieu, où avez-vous enterré votre âne ? demanda l'évêque. Vous avez commis un grand méfait envers la Sainte Église ; jamais je n'en ai entendu révéler d'aussi grand. Vous avez enterré votre âne là où l'on met les chrétiens. Par sainte Marie l'Égyptienne[1], si la chose peut être prouvée et si quelqu'un peut en témoigner, je vous ferai jeter en prison car jamais je n'ai vu un pareil crime !

— Mon doux seigneur, répondit le prêtre, il est facile d'inventer n'importe quoi. Donnez-moi un jour de délai, car il est juste que je prenne conseil sur cette affaire, bien que je ne souhaite pas en venir à plaider.

— Je veux bien que vous preniez conseil car je ne considère pas cette affaire comme classée, surtout si elle est vraie.

— Monseigneur, je n'en doute pas. »

Là-dessus l'évêque, qui n'a pas envie d'en plaisanter, quitte le prêtre. Ce dernier ne s'en émeut pas outre mesure car il sait bien qu'il a une bonne amie : c'est sa bourse qui, s'il devait payer une amende, ne lui ferait pas défaut.

La nuit passée et le délai expiré, le prêtre revint trouver l'évêque en apportant avec lui vingt livres[2] en bonnes espèces sonnantes et trébuchantes, dans une ceinture de cuir. Il ne risquait pas d'avoir faim ou

---

1. Des trois Maries, sainte Marie l'Égyptienne est la pécheresse repentie. Jurer par son nom est donc pour l'évêque un moyen de signifier au prêtre qu'il le croit coupable mais aussi qu'il n'est si grand pécheur qui ne puisse être pardonné s'il se repent.
2. *Vingt livres* représentent une grosse somme car une livre vaut vingt sous et un sou, douze deniers. Le denier est l'unité monétaire principale du temps. C'est donc 4 800 deniers que le prêtre apporte à l'évêque. Or si l'on en croit Courtebarbe (« Les trois aveugles de Compiègne »), un festin de roi et une nuit à l'auberge coûtaient environ dix sous.

soif ! Quand l'évêque le vit venir, il ne put s'empêcher de l'apostropher :

« Prêtre, vous avez pris conseil : qu'en avez-vous conclu ?

— Monseigneur, j'ai effectivement beaucoup réfléchi. A bien y réfléchir, il n'y a pas lieu de se quereller. Vous ne vous étonnerez pas de ce que la réflexion pousse à chercher un arrangement. Je vais vous dire tout ce que j'ai sur la conscience et si cela mérite une pénitence corporelle ou pécuniaire, n'hésitez pas à me l'infliger. »

L'évêque s'approcha afin qu'il puisse lui parler de bouche à oreille et le prêtre qui, alors, n'était plus avare de son argent, leva la tête. Il tenait sa bourse sous sa cape, n'osant la montrer à cause des gens qui se trouvaient là et, à voix basse, il raconta son histoire :

« Monseigneur, il n'est pas utile de s'étendre. Mon âne a longtemps vécu ; pour moi, il valait de l'or. Il m'a servi de bon gré et avec loyauté vingt ans entiers. Dieu me pardonne mes fautes, chaque année il gagnait vingt sous, tant et si bien qu'il a épargné vingt livres. Pour échapper à l'enfer, il vous les a léguées par testament.

— Que Dieu l'aide et lui pardonne tous les méfaits et les péchés qu'il a commis ! » répliqua l'évêque.

Ainsi, vous l'avez entendu, l'évêque tira parti du riche curé ; comme il était avare, il lui apprit à être généreux. C'est l'enseignement de Rutebeuf : celui qui soutient son affaire avec de l'argent ne peut pas redouter l'échec. L'âne resta chrétien : mon histoire montre qu'il paya bel et bien son legs.

Nous avons là une violente attaque contre la cupidité et la vénalité des ecclésiastiques car l'évêque qui, contre argent, absout un prêtre d'un crime de profanation, est aussi coupable que celui-ci. Mais ce thème n'a rien d'étonnant sous la plume de ce jongleur impécunieux, désabusé et criant souvent misère, que fut Rutebeuf.

RUTEBEUF

Il est l'un des rares auteurs de fabliaux connus. Moraliste, amuseur, conteur et premier poète français libéré de la tradition aristocratique, il vécut dans la seconde moitié du XIIIᵉ siècle. Mais si l'œuvre qu'il nous a laissée est importante, on ne connaît rien de sa vie. Champenois sans doute, puis parisien d'adoption, on ne connaît de lui que son surnom qu'il interprète lui-même avec malice en « rude bœuf ». Il a mené une vie difficile de jongleur et a composé une œuvre diversifiée, surtout de commande, qui reflète les difficultés de sa vie désargentée. Il cultive tous les genres et nous a laissé douze poèmes sur la croisade, dix-huit pièces sur l'Église, les ordres mendiants et l'Université, des œuvres religieuses narratives (*Vie de sainte Marie l'Égyptienne*), des œuvres dramatiques dont *Le Miracle de Théophile* et *Le Dit de l'Erberie*, des pièces à rire (cinq fabliaux grivois ou grossiers) et une allégorie animale dirigée contre saint Louis et surtout contre ses conseillers qui appartenaient aux ordres mendiants (principalement les dominicains et les franciscains — ordres de saint Dominique et de saint François — qui étaient des prédicateurs itinérants) : *Renart le Bestourné,* cf : Jean Dufournet, *Rutebeuf, Poèmes de l'Infortune et Poèmes de la Croisade*, Champion, Traductions 28, Paris, 1979.

Le vilain de Farbus[1]
par Jean Bodel

Seigneurs, un jour du temps jadis, il arriva qu'un vilain de Farbus devait aller au marché ; sa femme lui avait donné cinq deniers et quelques mailles[2] pour les employer ainsi que vous allez m'entendre le raconter : trois mailles pour un râteau, deux deniers pour un gâteau qu'elle voulait tout chaud et croustillant, et trois deniers pour ses dépenses. Elle mit cet argent dans sa bourse et, avant que de le laisser partir, elle lui fit le décompte de ses dépenses : un denier tout rond pour des petits pâtés et de la cervoise[3], compta-t-elle, et deux deniers pour le pain, ce serait suffisant pour son fils et lui. Alors le vilain sort par la porte du jardin et se met en route. Il emmène avec lui son fils Robin pour l'initier à la vie et aux coutumes du marché.

Au marché, devant une forge, un forgeron avait laissé traîner, comme s'il était à l'abandon, un fer encore chaud pour tromper les fourbes et les niais qui, souvent, s'y laissaient prendre. Le vilain, en l'apercevant, déclara tout de go à son fils qu'un fer était une bonne aubaine. Robin s'agenouilla près du fer et le mouilla en crachant dessus : le fer, qui était chaud, se mit à bouillir avec une grande effervescence. Quand Robin vit le fer aussi chaud, il se garda bien de le toucher et s'en alla en le laissant en place. Le vilain,

1. *Farbus* était une petite commune de l'Artois, près d'Arras.
2. La *maille* est la plus petite pièce existant alors.
3. *Cervoise* : bière.

qui était ignorant, lui demanda pourquoi il ne l'avait pas pris.

« Parce qu'il était encore tout brûlant, le fer que vous aviez trouvé !

— Comment t'en es-tu rendu compte ?

— Parce que j'ai craché dessus et qu'il s'est mis immédiatement à frire et à bouillir ; or il n'y a sous le ciel aucun fer chaud qui, si on le mouille, ne se mette à bouillir : c'est ainsi qu'on peut le savoir.

— Eh bien, tu m'as appris là une chose que j'apprécie beaucoup, fit le vilain, car souvent je me suis brûlé la langue ou le doigt en attrapant quelque chose mais quand, dorénavant, le besoin s'en fera sentir, je m'y prendrai comme tu l'as fait. »

Ils arrivèrent alors devant un étal où l'on vendait du pain, du vin, de la cervoise, des petits pâtés et bien d'autres choses. Robin, qui était très gourmand, déclara aussitôt qu'il voulait en avoir. Ils firent le compte de leur argent et trouvèrent les cinq deniers et les mailles. Ils dépensèrent sans la moindre retenue trois deniers pour leur déjeuner après quoi il ne leur resta plus qu'à prendre le chemin du retour. Ils achetèrent un râteau pour trois mailles et un gâteau mal travaillé et plein de grumeaux pour deux deniers. Robin le mit dans son giron et le vilain porta le râteau. Ils sortirent par la porte de la ville et reprirent le chemin de leur maison.

La femme du vilain, en ouvrant la porte du jardin, les accueillit avec un visage plus renfrogné qu'un plat à barbe ou une arbalète :

« Où est mon gâteau ? dit-elle.

— Le voilà, répondit le vilain, mais, si vous m'en croyiez, vous en feriez un morteruel[1] sur-le-champ car je meurs de faim. »

Elle allume aussitôt un feu de brindilles et s'active. Robin nettoie la poêle. Ils se hâtent de tout préparer. Dès que la poêle se met à bouillir, le vilain en a l'eau

---

1. Le *morteruel* était une sorte de soupe épaisse, faite de pain (ou de gâteau) et de lait, qui se mangeait chaud.

à la bouche. Il demande qu'on lui mette son écuelle, celle qui est bien creuse et dans laquelle il a l'habitude de manger :

« Je ne veux pas en changer car j'en ai souvent été satisfait. »

Sa femme la lui remplit pleine à ras bord. Et il ne prend pas une cuiller plus petite que celle qu'on utilise pour tourner dans les pots et servir ; il la remplit autant qu'il le peut de morteruel bouillant et crache dessus afin de ne pas se brûler, ainsi que Robin l'avait fait sur le fer chaud. Mais le morteruel qui avait été porté à l'ébullition sur le feu de brindilles, ne frémit pas. Le vilain ouvre grand la bouche et y enfourne d'un coup la plus douloureuse gorgée dont il eut jamais l'occasion de se repaître car, avant même qu'il ait pu l'avaler, il eut la langue si brûlée, la gorge si embrasée et le tube digestif si échauffé qu'il ne put ni cracher ni avaler et qu'il se crut aux portes de la mort. Il devint écarlate.

« Certes, fait Robin, c'est surprenant de voir qu'à votre âge vous ne savez pas encore manger !

— Ah ! Robin, infâme traître, par ta faute je suis dans un tel état que je te souhaite tous les maux possibles ! Car, malheureux que je suis, je t'ai cru et j'en ai la langue complètement brûlée et l'intérieur de la bouche à vif !

— C'est parce que vous n'avez pas correctement soufflé sur votre cuiller. Pourquoi n'avez vous pas soufflé suffisamment avant de la porter à votre bouche ?

— Mais ce matin tu n'as pas soufflé sur le fer chaud que j'avais trouvé !

— Non, je l'ai éprouvé avec plus de sagesse : j'ai craché dessus pour le mouiller.

— J'ai fait la même chose sur ma cuiller et je me suis tout brûlé, fit le père.

— Sire, répondit Robin, par le Saint Père, au moins jamais plus, à votre corps défendant, vous n'oublierez que le fer chaud n'est pas du morteruel ! »

Seigneurs, retenez cela : l'époque est maintenant telle que le fils donne des leçons au père et il n'est pas un jour où cela ne soit évident, ici et ailleurs, ainsi que je le pense, car les enfants sont plus fins et rusés que ne le sont les vieillards chenus. Le vilain de Farbus l'apprit à ses dépens.

> Ce fabliau est fondé sur une confusion entre la lettre et l'esprit, ou, plus exactement sur une application inadéquate, compte tenu d'une situation différente, d'un précepte, d'une manière de faire reposant sur l'observation et le bon sens. Il révèle ainsi la lourdeur d'esprit du *vilain*, ce qui, dans nos fabliaux, est souvent sa caractéristique principale : plaisanterie de l'homme des villes à l'égard de l'habitant des campagnes, souvent dépeint comme un rustre sale, grossier et lourd d'esprit.

Jean BODEL

Autre auteur connu et sans doute l'un des premiers qui écrivaient des fabliaux. Né à Arras vers 1165 et mort dans une léproserie de la même ville en 1209, il fut le plus original des trouvères du Nord de la France et l'un des meilleurs représentants de la littérature bourgeoise. Poète et musicien, il composa cinq *pastourelles* (poèmes et chansons qui racontent la tentative de séduction d'une bergère par un chevalier, ou mettent en scène des paysans et des bergers, nous montrent leurs jeux et leurs mœurs et placent dans leur bouche des refrains à danser ; ce genre eut un immense succès du XIIᵉ au XIVᵉ siècle), une épopées de 8 000 vers, *La Chanson des Saisnes* (Saxons), une pièce dramatique, *Le Jeu de saint Nicolas* et des *Congés* qu'il adressa à cinquante de ses amis pour leur dire adieu avant de se retirer dans la léproserie où les échevins de la ville lui accordèrent un lit pour le récompenser de son talent. Il écrivit aussi une fable et huit fabliaux dont il donne la liste au début du fabliau intitulé « Les deux chevaux » (voir p. 53).

La vieille qui graissa
la main du chevalier

Pour vous amuser un peu, je voudrais vous raconter l'histoire d'une vieille femme qui avait deux vaches qui étaient sa seule ressource du moins à ce que j'ai lu.

Un jour, ses vaches s'échappèrent et le prévôt, les ayant trouvées, les fit mener chez lui. Quand la brave femme l'apprit, elle alla le voir et le pria de les lui rendre. Elle le supplia mais rien n'y fit, car le prévôt, qui était un triste sire, se moquait éperdument de tout ce qu'elle pouvait lui dire.

« Par ma foi, dit-il, ma bonne vieille, payez-moi d'abord ce que vous me devez avec les beaux deniers que vous cachez dans un pot ! »

La brave femme s'en revint alors la tête basse, triste et bien contrite. Elle rencontra sa voisine, Hersant, et lui conta son histoire. Hersant lui nomma un chevalier et lui conseilla d'aller parler à ce grand seigneur : qu'elle lui parle poliment, sagement et avec respect ; si elle lui graisse la patte[1], il lui fera retrouver ses vaches sans avoir à payer de dédommagement.

La bonne vieille, qui n'y entend pas malice, prend un morceau de lard et vient trouver le chevalier qui se trouvait devant sa maison. Par aventure, le chevalier avait les mains croisées dans le dos. La vieille

1. Ce fabliau est fondé sur l'incompréhension de la tournure vulgaire « graisser la patte » au sens de *soudoyer*, donner de l'argent en cachette.

s'approche par-derrière et lui frotte la main avec son lard. Quand celui-ci sent qu'on lui graisse la main, il se retourne et regarde la vieille :

« Bonne femme, que fais-tu là ?

— Sire, au nom de Dieu, pardonnez-moi : on m'a dit de venir vous trouver et de vous graisser la patte et que, si je faisais cela, je pourrais récupérer mes vaches sans rien avoir à payer.

— Celle qui t'a dit cela voulait dire tout autre chose ; mais tu n'y perdras rien pour attendre : tu retrouveras tes vaches sans rien avoir à payer et de plus je te donne un bon pré bien herbeux. »

J'ai raconté cette anecdote pour montrer l'attitude de ceux qui sont puissants et fortunés et qui sont souvent fourbes et déloyaux ; ils vendent leur parole et leur conscience et se moquent de la justice. Chacun ne songe qu'à amasser : le pauvre n'a gain de cause que s'il paie.

Brunain, la vache du prêtre
par Jean Bodel

Je vais vous raconter l'histoire d'un vilain et de sa femme qui, le jour de la fête de Notre-Dame[1], allèrent prier à l'église. Le prêtre, avant de commencer l'office, monta en chaire pour faire son sermon. Il dit qu'il était profitable de donner pour l'amour de Dieu, si l'on avait un peu de bon sens, car Dieu rendait au double à celui qui donnait de bon cœur.

« Écoute, femme, ce que vient de dire notre prêtre, fit le vilain : si l'on donne de bon cœur à Dieu, Dieu le rend au double. Nous ne pouvons mieux employer notre vache, si bon te semble, que de la donner pour Dieu au curé. D'ailleurs elle donne peu de lait !

— Sire, à cette condition, je veux bien qu'il l'ait », répondit la dame.

Alors ils reviennent chez eux sans faire de plus longs discours. Le vilain entre dans l'étable, prend sa vache par la longe et va la présenter au curé. Le prêtre était fin et rusé.

« Beau sire, fait le vilain en joignant les mains, je vous donne Blérain pour l'amour de Dieu. » Et il lui mit la longe dans la main en jurant qu'elle ne lui appartenait plus.

« Ami, tu as agi en homme sensé, déclara le prêtre dom Constant qui ne pensait jamais qu'à amasser. Va-t'en, tu as fait ce que tu devais. Si tous mes

1. La fête de Notre-Dame, c'est la fête de la Vierge Marie, le 15 août.

paroissiens étaient aussi sages que toi, j'aurais un bon troupeau. »

Le vilain quitta le prêtre et celui-ci ordonna immédiatement que pour l'apprivoiser, on attachât Blérain à sa propre vache, Brunain. Le sacristain emmena Blérain dans le pré où se trouvait, je pense, la vache du curé et les attacha ensemble puis il revint en les laissant là.

La vache du curé baissa la tête, car elle voulait brouter mais Blérain ne put le supporter ; elle tira si fort sur le lien qui les unissait qu'elle l'entraîna hors du pré. Elle l'a tant tirée qu'à travers les fermes, les chènevières et les prés, elle est revenue chez elle, suivie de Brunain qui lui cause bien du tourment en se laissant tirer. Le vilain, qui attendait, la voit arriver ; il en ressent une grande joie.

« Ah ! femme, dit-il, c'est vrai que Dieu rend au double. Voici Blérain qui revient avec une autre ; elle amène une grande vache brune. Maintenant nous en avons deux pour une. Notre étable va être bien remplie ! »

Ce fabliau nous montre par l'exemple que celui qui refuse de faire confiance est bien sot. Aura du bien celui à qui Dieu le donne et non celui qui thésaurise et cache ce qu'il a. Personne ne peut faire fructifier son bien sans, pour le moins, une grande part de chance. C'est par chance que le vilain eut deux vaches et que le prêtre perdit tout. Tel croit avancer qui recule.

> Ce fabliau, comme le suivant, est encore fondé sur l'incompréhension du langage, sur une confusion entre la lettre et l'esprit. Mais les vilains sont sympathiques et leur naïveté est récompensée, alors que du même coup, la cupidité du prêtre est punie. Vengeance par le rire de ceux qui souffrent des inégalités dues à la fortune, et qui attendent de Dieu ou du hasard une redistribution.

Le pauvre mercier

Un gentil clerc, qui s'efforce de rapporter des choses divertissantes, veut vous raconter une nouvelle histoire. Et si son récit est plaisant, il mérite bien d'être écouté, car, souvent, une bonne histoire fait oublier la colère et les soucis et calme les grandes disputes. Quand quelqu'un raconte une histoire drôle, les querelles s'oublient.

Un seigneur, qui possédait de grandes terres et qui portait une telle haine aux gens de mauvaise vie qu'il les pourchassait sans pitié et les pendait sur l'heure sans en accepter aucune rançon, fit un jour annoncer l'ouverture d'un nouveau marché. Un pauvre mercier vint, sans faire d'éclats, y installer son étal et ses tréteaux. Il n'avait ni servante ni valet et son commerce était modeste.

« Par sainte Marie, se dit le mercier, que vais-je faire de mon cheval ? Il y a de la bien belle herbe dans ce vallon ; je l'y mènerais volontiers paître si je ne craignais de le perdre car son entretien, son avoine et son fourrage me coûtent bien cher ! »

Un marchand qui l'avait écouté lui dit :

« Ne redoutez pas de perdre votre bête en l'enfermant dans ce pré ; de toutes les terres du monde, aussi loin que l'on puisse aller, il n'y en a pas une où règne une justice aussi sévère. Je vais vous dire à quelle condition vous pourrez laisser paître votre bête en toute tranquillité : recommandez-la au bon seigneur de cette ville d'où toute rouerie et toute perfidie sont bannies ; je peux vous affirmer sans nul risque de me tromper que si votre cheval, placé sous sa protection,

vous est volé, il vous sera rendu et le voleur pendu si
on le trouve dans le pays. Faites comme bon vous
semble ; le mien y est depuis hier midi et, je vous
l'assure, en toute sécurité. »

Le mercier se dit alors : « Je vais le conduire dans
cette prairie et l'y laisserai paître. » Il recommande
son cheval à Dieu et au seigneur, et, en latin et en
français, il fait des prières pour que personne ne puisse
l'emmener de la prairie.

Le Fils de Dieu ne trahit pas la confiance mise en
lui, car le cheval ne sortit jamais de la prairie. Mais
une louve affamée vint à passer par là ; elle sauta à la
gorge du cheval, l'étrangla et le dévora. Le lendemain,
le mercier vint chercher son cheval et le trouva gisant
en pièces dans la prairie.

« Dieu ! s'écria-t-il, je préférerais de tout mon cœur
que l'on m'ait pendu plutôt que de voir ce qui
m'arrive ! Hélas ! Je ne pourrai plus faire les marchés ;
je n'ai plus qu'à quitter mon pays, à fuir dans une
autre terre pour y gagner pauvrement mon pain.
Pourtant, je vais aller voir le seigneur et je lui
raconterai le malheur qui est arrivé à mon cheval que
j'avais placé sous sa sauvegarde : je verrai bien s'il
me le rendra et s'il prendra pitié de moi. »

Tout en pleurant, il s'en va trouver le seigneur.

« Sire, dit-il, que Dieu vous donne plus de joie qu'il
ne m'en a accordé ! »

Et le seigneur, sans attendre, lui a courtoisement
répondu :

« Bel ami, que Dieu vous le compense largement !
Pourquoi pleurez-vous ?

— Gentil seigneur, si vous voulez le savoir, je vais
vous le dire et sans rien vous cacher. J'avais mis
paître mon cheval dans vos pâturages ; et j'ai fait là
mon malheur, car les loups l'ont dévoré. Sire, j'en suis
malade. On m'avait dit que si je le plaçais sous votre
sauvegarde et que je le perdais, que ce soit dans un
pré ou dans une écurie, vous m'en dédommageriez.
Sire, par une sainte prière je l'ai placé sous la sauvegarde de Dieu et sous la vôtre et cela en toute

confiance. Aussi je vous prie bien humblement, au nom de Dieu, si vous pensez la cause juste, de bien vouloir m'accorder quelque dédommagement.

Le seigneur lui répondit alors en riant :

« Ne pleurez pas pour cela ; remettez-vous. Promettez-vous de me dire l'exacte vérité au sujet de votre cheval ?

— Oui, je le jure sur la Sainte Trinité.

— Alors dis-moi : aussi vrai que je souhaite que Dieu me préserve d'être dans le besoin, si tu t'étais trouvé dans une grande nécessité et que tu aies été contraint de le vendre, pour combien de deniers l'aurais-tu laissé ?

— Sire, je jure sur ma tête et sur la foi que je dois à Notre-Dame, et puissé-je être battu si je mens, qu'il valait bien soixante sous.

— Ami, je vous donnerai la moitié de soixante sous, soit trente sous, car c'est la moitié de votre cheval que vous avez placée sous ma sauvegarde ; l'autre, vous l'avez remise entre les mains de Dieu !

— Sire, je ne la lui ai pas donnée, je l'ai simplement placée sous sa protection !

— Eh bien, ami, prenez-vous-en à lui ; allez le relancer dans sa terre, car je ne vous dédommagerai pas plus de votre cheval et Dieu me préserve ! Si vous l'aviez entièrement placé sous ma seule sauvegarde, vous auriez reçu la totalité des soixante sous. »

Le mercier quitte alors le seigneur et s'en retourne tout droit là où il avait installé son étal. Sa douleur était un peu allégée par l'argent qu'il avait reçu.

« Par la foi que je vous dois, Saint Père, se disait-il, si je pouvais vous tenir et avoir pouvoir sur vous, à votre corps défendant, vous me rembourseriez trente sous ! »

Le mercier sortit de la ville tout en jurant sur saint Gilles que volontiers il s'en prendrait à Dieu et qu'il se dédommagerait s'il pouvait en trouver le moyen et qu'il s'en débrouillerait bien.

Quand il eut suffisamment ressassé son dépit, il vit venir à travers les prés un moine qui sortait du bois. Le mercier se dirigea vers lui et lui demanda :

« A qui appartenez-vous ?

— Brave homme, que voulez-vous dire ? J'appartiens à Dieu, notre Père.

— Ha ! Ha ! dit le mercier, beau frère, soyez le bienvenu. Et que la honte soit sur moi plus que quiconque si vous trouvez le moyen de m'échapper autrement qu'en chemise jusqu'à ce que j'aie reçu trente sous ! Allez, vite ! Retirez votre grande cape[1] sans faire de résistance ! Prenez garde que je ne vous frappe méchamment, car, par sainte Marie, je vous donnerais une rossée telle que vous n'en avez jamais reçu de semblable : elle serait bien plus sévère encore !

1. La *cape* ou *chape* était un manteau avec capuchon que portaient les moines.

Je me paie sur vous des trente sous de dommage que m'a fait votre Maître.

— Mon frère, vous faites une mauvaise action, dit le moine ; je suis entre vos mains mais, je vous en prie, rendons-nous devant le seigneur qui exerce le droit de justice sur cette terre. Aucun moine ne doit avoir de dispute ; si vous avez quelque grief à mon égard, le seigneur saura bien ordonner qu'on fasse justice à chacun.

— Aussi vrai que je souhaite que Dieu m'accorde bonne fortune, répondit le mercier, je veux bien accepter de comparaître devant le seigneur ; mais dût-il me faire jeter dans l'oubliette la plus profonde du château, j'aurai d'abord votre belle chape fourrée. Donnez-la-moi sans plus attendre ou, par mon serment, vous entrerez dans une mauvaise voie.

— Sire, de gré ou de force je vous la donnerai, dit le moine, mais vous me faites là un bien grand outrage ! »

Il quitte alors sa chape et le mercier s'en empare. Tous les deux, moine et mercier, viennent alors s'en remettre au seigneur pour savoir lequel d'entre eux a raison dans la querelle qui les oppose.

« Sire, commença le moine, ce n'est pas une chose honnête ni une bien belle action que de me dépouiller de ma robe alors que je suis sur vos terres. N'est-il pas hors du sens, celui qui porte la main sur un prêtre ? Sire, on m'a volé ma chape. Ordonnez qu'elle me soit rendue.

— Dieu m'en accorde réparation, rétorqua immédiatement le mercier, vous mentez ; je n'ai fait que vous prendre des gages et je ne désire nullement vous nuire davantage. Je m'en remets au jugement du seigneur.

— Ce que vous dites me comble d'aise, répondit le moine. Le jugement me donnera raison. Je n'ai pas d'autre maître que le Roi du Paradis...

— C'est à cause du dommage qu'il m'a causé, répliqua le mercier que je vous ai demandé réparation et que j'ai pris votre chape en gage et caution. J'avais placé mon cheval sous sa garde et il est mort. A moins que le Diable ne me fasse brûler dans les feux de l'enfer, vous en paierez la moitié !

— Mercier, tu t'es bien trop hâté de prendre des gages d'une manière aussi expéditive, dit alors le seigneur, mais, sans plus poursuivre les débats, je vais sur l'heure rendre mon jugement au mieux que je le pourrai.

— C'est pour cela que nous nous sommes présentés devant vous, dit le moine.

— Le jugement sera rendu et le verdict devra être respecté, déclara le seigneur.

— Sire, dit le moine, je ne m'y opposerai pas.

— Ni moi, seigneur », dit le mercier.

Si alors vous aviez pu voir rire le seigneur et son entourage, vous n'auriez pu vous empêcher d'en faire tout autant !

« Prêtez tous attention à mon jugement, dit le seigneur, car je vais l'énoncer à haute voix. Seigneur moine, je vais vous proposer deux solutions, comme dans un jeu-parti[1] ; vous laisserez la plus mauvaise et vous vous en tiendrez à la meilleure. Si vous acceptez d'abandonner le service de Dieu et de la Sainte Église et de jurer foi et hommage[2] à un autre seigneur, alors vous pourrez recouvrer vos gages, mais si vous voulez continuer de servir Dieu ainsi que vous le faisiez, alors il vous faudra payer trente sous au mercier pour le dédommager. Maintenant faites comme bon vous semble. »

Quand le moine entendit ce verdict, il aurait de beaucoup préféré se trouver dans son abbaye car il vit

---

1. Un *jeu-parti* était une sorte de joute oratoire poétique dans laquelle deux jongleurs s'opposaient en défendant chacun un aspect d'une alternative (par exemple : « Aime-t-on moins quand on a obtenu ce que l'on désire ? »). Et l'on choisissait dans l'assistance un juge pour désigner le vainqueur. Ce divertissement a été très prisé dans les cours au XIIIe siècle.

2. L'*hommage* était un serment d'aide et d'assistance réciproque entre un seigneur et son suzerain dont il reconnaissait du même coup l'autorité.

bien qu'il ne pourrait s'en tirer sans y laisser des plumes !

« Sire, dit-il, je préférerais de beaucoup payer quarante livres plutôt que de renier Dieu.

— Alors à coup sûr, vous serez mis à l'amende de trente sous, répliqua le seigneur, et vous pourrez mieux ainsi vous dédommager sans honte et avec de bonnes raisons sur les biens de Dieu car c'est à cause de Lui que vous subissez ce préjudice ! »

Le moine n'osa pas dire un mot de plus. Et je peux vous affirmer que sire Richard, le moine, paya trente sous à la place de Dieu et il les paya intégralement sans discuter !

Que le Seigneur, qui dispense toute richesse et tout bienfait, protège du malheur ceux qui ont écouté cette histoire et celui qui l'a racontée ! Et maintenant donnez-moi à boire, si cela vous plaît !

Brifaut

L'envie m'est venue de vous raconter l'histoire d'un riche vilain pas très fin, qui faisait les marchés à Arras et à Abbeville. Si vous voulez l'entendre, dites-le-moi. Mais il faut me prêter attention. Et j'ajouterai qu'un niais reste toujours un niais et que souvent tel homme en qui l'on pense trouver un peu d'intelligence n'a pas beaucoup de finesse ; d'ailleurs si le même homme était pauvre et démuni, il passerait aux yeux de tous pour un simple d'esprit. Nous avons souvent constaté parmi nous que l'apparence se révèle trompeuse.

Le vilain s'appelait Brifaut. Il partit un jour au marché en portant sur ses épaules dix aunes[1] de bon drap qui, par-devant, lui battait l'orteil et, par-derrière, lui traînait sur les talons. Un larron[2] le suivait de près en cherchant comment il pourrait le tromper : il passe un fil dans une aiguille, soulève le drap qui traînait à terre, le serre contre sa poitrine et le coud sur le devant de sa robe, puis il se frotte au vilain qui s'est mêlé à la foule. Brifaut essaie de se frayer un chemin parmi la foule dense du marché. Le larron le bouscule et le fait choir à terre ; le drap lui échappe des mains et le larron en profite pour s'en saisir et se perdre dans la foule. Quand Brifaut s'aperçoit qu'il a les mains vides, il entre dans une violente colère et se met à hurler :

« Dieu ! Mon drap ! Je l'ai perdu ! Sainte Marie, à l'aide ! Qui a mon drap ? Qui l'a vu ? »

1. *Aune* : ancienne mesure de longueur d'environ 1,20 m.
2. *Larron* : voleur.

Le larron, qui portait le drap sur son épaule, s'arrêta un instant ; en le voyant ainsi se démener, il comprit qu'il en avait perdu la raison. Il vint alors se planter devant lui et lui dit :

« Qu'as-tu à crier, vilain ?

— Sire, j'ai bien de quoi ! J'apportais ici une grande pièce de drap et je viens de la perdre !

— Si tu l'avais, comme moi, cousue à tes vêtements, tu ne l'aurais pas laissée tomber en route. »

Alors il s'en va en le plantant là, devenu propriétaire du drap. Et il est normal que celui qui se laisse aussi sottement dérober son bien en fasse son deuil.

Brifaut revient alors chez lui où sa femme l'accueille en lui demandant le produit de sa vente.

« Femme, fait-il, si tu veux avoir de l'argent, monte au grenier, prends le blé et va le vendre car je ne rapporte pas un sou !

— Tu mens, fait-elle. Qu'une mauvaise goutte te frappe aujourd'hui même !

— Femme, tu as raison de me souhaiter cela et tu devrais me souhaiter encore plus !

— Mais, par la croix du Sauveur, qu'est devenu le drap ?

— Certes, répond-il, je l'ai perdu.

— Tu mens encore ! Puisse la mort subite t'emporter ! Brifaut, tu l'as brifaudé[1] ! Puisse-t-on te brûler la langue et la gorge par où passèrent les bons morceaux qui ont coûté si cher ! On devrait te mettre en pièces !

— Femme, que la mort me frappe et que Dieu me honnisse si je ne dis la vérité. »

Et de fait, la mort l'emporta presque sur l'heure. Mais il advint bien pire à sa femme car elle enragea toute vive. Brifaut mourut vite mais la malheureuse vécut dans le chagrin et la rage. Ainsi bien des gens, à cause de leur nature excessive, meurent dans le chagrin et la honte. Ainsi se termine mon conte.

---

1. *Brifauder* : création comique sur le nom du niais. La femme pense que Brifaut a dépensé le produit de sa vente à l'auberge.

L'intérêt de ce fabliau ne réside pas tant dans la peinture du niais (qui illustre bien cette idée, annoncée dans les premières lignes, que la richesse n'est pas un gage d'intelligence, dénonciation amère d'un jongleur impécunieux), que dans celle du rusé larron qui non seulement trouve une astuce pour dérober le drap mais, de plus, a le culot effronté d'officialiser sa propriété face au marchand en utilisant comme preuve de possession le subterfuge qu'il a utilisé pour s'emparer du drap et qu'il conseille à sa malheureuse victime d'imiter. On ne peut s'empêcher de penser à Pathelin qui berne le drapier Guillaume, à Villon qui trompe le poissonnier (voir *Appendice*), au clerc des « Trois aveugles de Compiègne » et à bien d'autres. C'est là une des multiples figures du *trickster*, ce personnage de maints fabliaux et, plus tard, de maintes farces, qui est le héros d'un monde dans lequel la ruse est considérée comme la première des qualités, d'un monde qui est le paradis des opprimés et dans lequel ils se vengent des inégalités que la société leur impose. Le rire que fait naître un tel personnage, auquel l'auditeur s'identifie, est un rire de satisfaction vengeresse et de supériorité.

Les deux chevaux
par Jean Bodel

Celui qui imagina le conte du morteruel, le récit de la mort du vilain de Bailleul qui n'était pas malade et ne souffrait d'aucune infirmité, l'histoire de Gombert et de deux clercs que, pour son malheur, il accueillit dans sa maison, celle de Brunain la vache du prêtre que Blérain ramena, celui qui imagina l'histoire du loup qui fut trompé par la brebis, l'aventure des deux envieux hypocrites, celle de Barat, Travers et leur compagnon Haimet, va vous raconter un autre fabliau auquel il n'avait pas encore pensé[1]. Ce n'est pas pour faire concurrence à maître Jean de Boves qu'il entreprend ce récit, car ce dernier est un bon conteur et ses histoires sont de bon goût et agréables à entendre. Mais celui qui fait d'une anecdote un long récit fait la preuve qu'il ne manque pas d'imagination. Et, pour abréger ce préambule, je vais vous conter sans plus attendre une histoire qui s'est passée dans le voisinage d'Amiens.

A Longueau, au bord de la rivière, autant que je m'en souvienne, demeurait un vilain que l'on n'avait jamais vu oisif et qui était dur à la peine tant pour labourer, moissonner que pour couper du bois. Il rentrait ses gerbes avec un mauvais cheval de peu de valeur qu'il avait mal nourri et fort fatigué bien avant

---

1. L'auteur rappelle ici la liste des fabliaux qu'il a déjà écrits.

l'époque des moissons. Il avait ainsi rentré son blé avant le mois d'août par peur des orages. Il n'avait que peu d'avoine et peu de fourrage pour bien traiter sa bête. Aussi, comme il ne pouvait la faire jeûner, et qu'il pensait en retirer un peu d'argent, il eut l'idée d'aller la vendre.

Tout se passa comme je vous le raconte : quand arriva le samedi, aux premières lueurs du jour, le vilain prépara sa haridelle ; il la frotta, la bouchonna, l'étrilla. Il l'emmena sans selle et sans mors, avec un licol[1] fait d'écorce de tilleul. La pauvre bête donnait l'impression d'être morte de faim : d'ailleurs il en était ainsi ou du moins peu s'en fallait ! Juché sur sa haridelle qui le portait sans douceur, le vilain arriva devant la porte du prieuré de Saint-Accueil. Il n'était pas arrivé là depuis bien longtemps qu'un moine de la maison sortit pour prendre le frais et s'adressa à lui. D'entrée de jeu, il lui demanda :

« Ami, vers quel lieu vous conduit Dieu ? Cette haridelle est-elle jeune ou vieille ? Apparemment elle ne vaut pas grand-chose !

— Par le respect que je vous dois, messire moine, il me faut bien la prendre telle qu'elle est jusqu'à ce que j'aie trouvé quelqu'un à qui la vendre. Si elle était grande, forte et robuste comme j'aimerais qu'elle le soit, j'en retirerais davantage d'argent et vous ne vous seriez pas moqué de moi !

— Par le respect que je dois à monseigneur l'abbé et à l'ordre auquel j'appartiens, répliqua le moine, je ne l'ai pas dit pour vous vexer ni pour vous attrister en quoi que ce soit. Nous avons, nous aussi, l'intention de vendre un de nos chevaux : il est ici au prieuré ; si vous y voyez avantage, nous pourrions l'échanger avec le vôtre. Entrez, vous verrez le nôtre. Par Dieu, faisons affaire, cheval contre cheval, et sinon, que chacun reprenne le sien et quittons-nous bons amis comme par-devant.

1. *Licol* : terme formé sur le verbe lier (*lie-col*). Pièce de harnais, lien que l'on met autour du cou des bêtes de somme pour les mener.

— Je suis d'accord », dit le vilain.

Alors ils entrent dans la cour du prieuré ; le moine court à l'étable et en sort un cheval de trait qui n'était pas des plus robustes que l'on puisse voir, ni des plus vaillants : il était plutôt maigre et décharné, le dos creusé, inapte à la monte. On pouvait lui compter les côtes ; il était haut de l'arrière et bas du garrot. Il boitillait d'une patte, ce qui le rendait peu gracieux. Il n'était ni fringant ni même en bonne santé. Il n'avait même pas la force de hennir. Quand le vilain le vit venir, il le regarda d'un drôle d'air.

« Pourquoi le regardez-vous ainsi ? demanda le frère convers[1]. Bien qu'il soit maigre et ne paie pas de mine, il est plus vif et plus ardent que tel autre que l'on vendra cent sous. Mais il n'a jamais été repu à sa suffisance et chaque jour il s'est fatigué au travail. S'il ne faisait pas un travail aussi dur et s'il avait du fourrage et de l'avoine, il aurait bien vite retrouvé son embonpoint. Pour peu que cela lui arrive, on pourrait compter sur lui, car il sait bien tirer parti de ce qu'on lui donne. Dites-moi combien vous en donneriez ; je vous le laisserai à un bon prix. »

Le vilain eut un sourire de commisération en entendant parler ainsi le frère convers.

« Vous ne l'avez pas encore vendu, dit le vilain. Par ma tête, c'est sa peau que vous voulez me vendre, car je ne vois rien à tirer de lui excepté la vente du cuir ! Une rosse qui n'a ni force ni valeur ne mérite guère que d'être écorchée. J'aurais un tel dépit que j'en crèverais s'il me fallait me payer avec cette peau ! Par contre, voilà un cheval de trait bien vendable, il faut être fou pour le garder dans une étable : il est bon pour tous les travaux, bon pour la charrue, bon pour la herse, bon pour tirer les chariots et jamais on n'a vu de par le monde une bête aussi forte et aussi rapide. Il court plus vite que ne vole une hirondelle. Je ne me fais pas de souci, si quelqu'un veut un cheval

---

1. Le frère convers est un moine qui, dans les monastères, se consacre aux travaux manuels.

de trait solide pour dévaler une côte, qu'il fasse confiance à celui-ci : il suffit de le guider de la voix. Mais je m'étonne que vous m'ayez autant retardé pour cette vieille carne ; je vous avais pourtant prié de ne pas vous moquer de moi. Pendant tout le temps que vous m'avez amusé ici, j'aurais eu le temps d'arriver à Amiens !

— Vous avez bien vite refusé et dénigré mon cheval que vous trouvez maigre et efflanqué, répliqua le moine, et vous vantez bien le vôtre. Mais nous saurons avant peu lequel sera le plus digne de louanges, si toutefois vous consentez à mettre le vôtre à l'épreuve. Mettons les deux bêtes queue à queue et attachons-les et si la nôtre peut faire en sorte qu'elle arrive à tirer la vôtre de force jusqu'à cette grange, vous l'aurez perdue sans compensation ; et si la vôtre est assez forte pour tirer la nôtre en dehors de cette porte, alors vous pourrez l'emmener sans bourse délier. C'est ainsi que l'on doit éprouver son cheval !

— Sur ma tête, dit le vilain, vous avez trouvé votre homme. Concluons le marché ainsi et que sur l'heure on fasse ce qui a été convenu.

— Je suis d'accord », déclara le moine.

Il saisit le sien par la queue qu'il avait longue, terne et molle, et attacha ensemble les deux chevaux. Puis chacun alla vers le sien, une verge à la main, et ils les frappèrent à grands coups. Les deux rosses se mirent à tirer de toutes leurs forces sans oser faire semblant. Elles firent se resserrer les nœuds ; mais, en tirant ou en secouant, elles ne purent se détacher : elles en avaient la croupe tout étirée.

« Ho ! Baillet, qu'est-ce qu'il se passe ? dit le moine. Prenez garde à ce que cette rosse ne vous échappe pas. »

Alors il le frappe de sa verge et lui donne de grands coups. Le vilain ne fut pas assez fou pour vouloir rouer Ferrant de coups ; au contraire, il le laissa reculer juste assez pour fatiguer l'autre et reprendre des forces. Et le moine, vous pouvez m'en croire, fut fort joyeux quand il vit Baillet avancer et Ferrant reculer et sa satisfaction allait en augmentant.

« Baillet, fait-il, voilà la grange : fais en sorte de retirer les honneurs de la partie ! » Mais Baillet est allé au bout de ses forces, car il ne peut plus marcher ni à hue ni à dia et il s'arrête sans qu'il soit besoin de lui dire ho ! Les flancs lui battent par suite du trop violent effort qu'il a accompli. Quand le vilain le vit à bout de souffle et incapable de tirer davantage, il s'écria :

« Ferrant, brave bête de bonne race, efforce-toi de bien faire ! »

Quand le cheval s'entendit ainsi rappeler à l'ordre, il s'arc-bouta des pattes de devant sur le sol avec tant de vigueur que l'un de ses sabots se déferra et qu'il fit voler le fer en l'air. Et le vilain presse et encourage Ferrant qui tire vigoureusement et fait reculer Baillet. Et du même élan il l'entraîne avec ardeur à toute vitesse vers la porte. Tirant comme un ours, il entraînait, tous muscles bandés, et le bidet et le moine qui le suivait tout éperdu. Comme il était sur le point de franchir la porte et que le moine voyait bien que Baillet se comportait si lâchement que l'autre l'entraînait sans rémission, il sortit son couteau de sa gaine et ne sachant comment le secourir, il trancha d'un coup la queue de Ferrant, l'allégeant ainsi de sa charge. Du même élan, Ferrant et son maître se retrouvèrent tous les deux de l'autre côté de la porte. Le frère convers ferma alors les deux battants de la porte et s'en retourna en son logis. Le vilain n'y put rien et il lui fut impossible de se glisser sous la porte. Il eut beau crier et frapper contre la porte, l'autre ne daigna pas lui répondre. Il le fit convoquer à Amiens devant le tribunal de l'évêque qui les interrogea et leur demanda ce qui s'était passé. Et ils plaidèrent longuement car l'évêque refusa de rendre son verdict avant d'avoir entendu les parties.

Maintenant, je vous prie, tous et toutes, de me dire franchement si, d'après vous, c'est le vilain qui doit avoir gain de cause.

L'originalité de ce fabliau c'est qu'il se termine en lançant un *jeu-parti*, même si l'on peut supposer par avance la réaction de l'auditoire car la fourberie du prêtre ne peut se mesurer à la fine rouerie du paysan. Mais l'évêque peut-il donner tort au prêtre ?

Le prêtre et les deux coquins

Celui qui sait raconter de belles histoires ne doit pas les cacher quand on se trouve entre bonnes gens ; au contraire, il doit les révéler, les meilleures et les plus frappantes, surtout quand il voit que l'auditoire est bien assis et que chacun lui prête attention car, à la fin, tout le monde sera content. Donc taisez-vous et écoutez-moi. Puisque vous attendez que je vous raconte une bonne histoire, je ne vais pas vous en priver.

Je vous parlerai de deux coquins dont l'un s'appelait Thibaut et l'autre Régnier. Jamais le premier ne gagna un seul denier sans le reperdre aux dés et son compagnon ne voulut jamais faire autre chose. Les deux compagnons étaient de la même trempe car s'ils n'avaient eu qu'un petit pain, ils l'auraient vendu à un Allemand ou à un Français rencontré en chemin pour en jouer le produit plutôt que de le manger. Maintenant je vais vous parler d'eux.

Un jour, ils marchaient tous les deux sur le grand chemin ; Thibaut s'adressa à Régnier et lui dit :

« Sais-tu, compagnon, qu'hier soir, j'ai bien plumé Briset, le frère de Chapel ? Il ne lui est pas resté le moindre vêtement : il a perdu jusqu'à ses braies[1] !

— Je l'ignorais, par saint Jacques de Galice.

— Et pourtant il a plus d'un tour dans son sac, plus que n'importe quel coquin que j'aie jamais rencontré !

— Et comment as-tu fait pour le tromper ? fait Régnier ; il est si méfiant !

— J'ai un jeu de dés mal marqués dont toutes les

---

1. Les *braies* sont les pantalons du Moyen Age.

faces font ou deux ou trois. Je les ai rapportés l'autre jour de Troyes et c'est avec eux que j'ai vidé les poches de mon ribaud[1] !

— Mais il ne faut pas jouer avec quand ils sont ainsi faits, répliqua Régnier.

— Certes non, mais ils m'ont rapporté plus d'argent que n'en auront jamais tous mes parents car, en me voyant pauvre, avec une mauvaise mine et peu de vêtements, ils ne se soucient pas de faire de tels coups et ne le souhaitent même pas ! »

Comme ils cheminaient en discutant ainsi l'un l'autre, ils rencontrèrent un chapelain qui venait à l'amble sur un palefroi bai[2]. Il semblait en bonne santé et heureux de vivre. Avant même qu'il ait eu le temps de les saluer, ils l'ont mis au défi de jouer aux dés car ils n'ont que cette idée en tête.

« Je gagnerais bien peu à jouer avec vous car j'ai idée qu'à vous deux vous n'avez pas même en poche dix malheureux deniers tournois[3] !

— Vous parlez sans savoir ce que nous pouvons avoir en poche, répond Régnier. Nous avons plus de deniers en poche que tel qui mène grand train. Nous les avons gagnés à maçonner des murs en torchis pendant toute la semaine. J'en suis encore éreinté. Et nous les avons soigneusement mis de côté. »

Le prêtre les regarda et vit leurs chemises en lambeaux qu'ils avaient noués en maints endroits, devant, derrière et sur les côtés. On leur voyait la peau de partout car il y avait peu de tissu intact. Alors il pensa que, sans mentir, c'étaient des deniers qu'ils avaient serrés dans les nœuds de leurs haillons. Il se

1. Coquin, filou, mauvais garçon.
2. Cheval de promenade à la robe brun-rouge. L'*amble* est l'allure d'un cheval de promenade qui se déplace en levant en même temps les deux pattes du même côté.
3. Au Moyen Age, chaque région avait sa monnaie. On compte ainsi en denier *parisis* (frappés à Paris), en deniers *tournois* (frappés à Tours), en deniers *artésiens* (Arras), ou *cambraisiens* (Cambrais). Leur valeur était variable. En effet, un sou valait douze deniers parisis ou quinze deniers tournois.

dit que sans trop se fatiguer, il pourra gagner une bonne somme à ces deux fanfarons qui ont tant de deniers qu'ils ne savent où les cacher. Il s'adressa alors à Régnier :

« Je vais jouer avec toi, fait-il, puisque tu me l'as demandé. Cherchons un endroit où nous installer. »

Le prêtre met pied à terre et laisse paître son cheval. Ils regardent aux alentours et trouvent une petite butte de terre qui leur convient. Thibaut, qui est impatient de jouer, s'y installe le premier et sort ses dés avant son argent car il a envie de mener le jeu.

« Combien voulez-vous miser, sire ? Une maille[1] ?

— Certes, fait le prêtre, je n'ai jamais été très hardi, mais jouons au moins des deniers tournois.

— Soit ! Marchons pour les deniers tournois. Voici les dés. Gagne qui pourra et à la grâce de Dieu ! réplique Thibaut en jetant les dés. En tout, j'ai *dix*[2] !

— Puissiez-vous réaliser cette *chance* de *dix* au premier coup ! fait Régnier au prêtre. Que Dieu vous aide !

— Faites-moi donc voir votre mise, avant que je jette les dés », fait le prêtre.

Thibaut, qui était retors, porta la main à son argent : il défit un nœud de sa chemise et en retira cinq deniers artésiens, trois deniers tournois et deux deniers cambraisiens. C'était tout ce que son compagnon et lui avaient en poche. Mais ils ne songeaient qu'à jouer et ils les posèrent gaiement sur le tapis.

« Jouez sans arrière-pensée et ne faites pas le soupçonneux : j'ai encore sur moi une dizaine de nœuds dont pas un denier n'a été ôté. »

Et il se pencha de nouveau sur le jeu. Le chapelain crut fermement que tous les nœuds étaient pleins de deniers comme l'était celui-ci.

« Et voilà ma mise, fait-il. Puisse Dieu me permettre de gagner !

---

1. La *maille* est la plus petite pièce ; elle vaut un demi-denier. Voir le « Tableau des équivalences monétaires », p. 65.
2. Pour ce jeu de dés, voir l'encadré p. 66.

— *Douze*, fait Thibaut. Je mise deux deniers : je n'ai pas intérêt à trop mettre en jeu sur ce coup-là ! (En aparté) : Je vais le piper du premier coup !

— Et moi, *sept* ! Voyez comme j'ai de la chance ! J'ai l'impression que Dieu me donne la pire qu'on puisse avoir !

— C'est un coup de malchance, fait Thibaut d'un air faussement navré. (Il joue à son tour.) Regardez : *douze* ! Vous avez perdu ! Vous devez quatre deniers. (Il rejoue) Et *hasart* !

— Va ! fait le prêtre, puisses-tu être maudit ! N'oublie pas de secouer les dés la prochaine fois !

— Volontiers, sire. Je n'en savais rien car je n'ai jamais appris les règles ! »

Il ramasse les dés avant même de prendre l'argent, fait mine de les secouer et leur substitue les dés truqués qu'il tend au prêtre. La fièvre du jeu reprend le dessus.

« *Hasart* ! Par Dieu, fait Thibaut, j'ai *six* !

— Va au diable, tu as posé les dés et je ne te paierai pas. Je crois que tu m'as grugé avec des dés pipés.

— Pas du tout, sire, je le jure sur saint Thomas ! »

Thibaut lui en montre d'autres ; le chapelain les regarde et les trouve bien normaux.

« Par le cul de Dieu, fait-il, c'est vrai ! J'ai perdu, c'est sûr ! Maintenant j'ai perdu tout ce que j'avais ; il ne me reste plus un sou. Et je venais juste de ramasser les troncs[1] ! Et je n'ai rien pour me refaire si je ne joue pas mon cheval. Mais certes, je le jouerai plutôt que de ne pas récupérer mon avoir. Allez, jette les dés, et allons-y pour douze deniers ! »

Et celui qui était expert en l'art de tricher releva le défi sans se dérober. Que vous dirais-je de plus ? La fièvre du jeu avait si bien saisi le prêtre qu'il mit tout ce qu'il possédait sur le tapis et son filou de partenaire s'y prit si bien qu'il lui gagna cent sous sur le cheval.

« Ho ! dit Régnier, ça suffit : vous l'avez perdu !

---

1. Petites boîtes dans les églises, où les fidèles déposent leurs offrandes.

— Ribaud, vous mentez, fait le prêtre, il vaut sept livres[1] !

— Que Dieu m'en soit témoin, dit alors Thibaut, vous allez être obligé de vous en séparer ! »

Le prêtre se leva d'un bond, blanc de colère, pour attraper son cheval et leur répliqua qu'ils ne l'emmèneraient pas. C'est alors la bagarre. Tous les trois, ils se précipitent sur le cheval.

« Halte-là ! s'écrie Régnier, vous ne monterez pas dessus ! » Ils bousculent le prêtre, le font tomber à terre et le rouent de coups de poing et de coups de pied à tel point qu'ils l'ont à moitié assommé, puis ils se saisissent du cheval. Mais peu s'en faut qu'ils ne se battent pour savoir qui montera le premier. Ils l'ont tellement tiré par la bride qu'ils ont bien étiré celle-ci de sept pouces !

« Certes, fait Thibaut, espèce de sale crapaud, c'est moi qui monterai le premier ! »

Mais Régnier se défend vigoureusement et lui dit que s'il peut l'en empêcher, ce ne sera pas le cas.

« Puisqu'il en est ainsi, il nous faut jouer aux dés pour savoir lequel montera le premier. Vas-y, commence.

— Et toi, compte, fait Thibaut. Je crois que j'ai neuf.

— Et moi je n'ai en tout et pour tout que huit, fait Régnier. Que le diable se saisisse de ces dés ! »

Alors, sans plus attendre, Thibaut bondit et enfourcha le cheval. Mais les étriers étaient trop courts pour lui car il avait de longues jambes plus noires qu'un tuyau de poêle. Il avait les pieds plats et démesurés. Il était grand, maigre et chétif, et vêtu de haillons. Le bonnet qu'il portait était si gras qu'il ressemblait plus à du cuir qu'à de la toile. De la cuisse à l'orteil, il n'avait plus le moindre lambeau de vêtement, je peux vous l'assurer, et pas plus du coude jusqu'au poing. Il

---

1. La *livre* vaut vingt sous ; donc sept livres font cent quarante sous : Thibaut et Régnier veulent voler le prêtre sur le prix du cheval.

aurait fait un beau mercenaire pour aller à la guerre !
Il frappe le cheval des talons qu'il avait durs et osseux,
tant et si bien qu'il le fait marcher à l'amble. Mais le
ribaud manque de perdre l'équilibre et chancelle car
jamais il n'avait chevauché, excepté peut-être en
maison close, mais ce n'était pas sur la même bête !
Et le cheval vint se bloquer au bord du fossé avec une
telle ruade qu'il envoya le ribaud voler à terre avec
une telle violence que celui-ci manqua de se tuer.
Mais il fit ce qu'il put pour amortir sa chute : il
s'accrocha si fort à la selle qu'il en fit rompre les
sangles et il se retint si fermement aux rênes qu'il
arracha le mors de la bouche du cheval avant de
s'affaler dans le fossé.

« Dieu me préserve de jamais monter sur une telle
rosse, fit Régnier, car elle m'aurait vite brisé une cuisse
ou même la tête ! Puissé-je n'avoir jamais de bonnes
surprises si je tente seulement d'y monter aujour-
d'hui ! »

Ils s'approchent tous les deux du cheval et tentent
de lui remettre le mors mais ils ne peuvent y réussir
car ils ont peur qu'il ne les morde ou qu'il ne les
renverse d'une ruade. Ils reviennent trouver le chapelain qui a eu une bien dure journée. Ils le voient
morne et abattu.

« Levez-vous, lui ordonne Thibaut, et mettez-lui ce
mors ou le dos vous en cuira ! »

Quand le chapelain les vit dans cet état, il eut grand-
peur car il n'était en mesure de leur tenir tête.

« Seigneurs, leur dit-il, ce cheval sait bien cacher sa
fourberie. Il a un tel caractère qu'il ne se laisse faire
par personne. Si l'on ne monte pas sur lui, il est
impossible de lui passer le mors entre les dents.

— Alors, dit Régnier, montez dessus puisqu'on ne
peut faire autrement pour le lui remettre. Quant à
moi, Dieu et saint Rémi m'en soient témoins, je ne
tenterai pas de le monter ! »

Le prêtre monte en selle, passe le mors au cheval et
pique des éperons en leur criant :

« Adieu, seigneurs, je m'en vais. Ce cheval ne

tombera pas entre vos mains aujourd'hui, car on lui aurait vite vu les côtes si vous en aviez été les maîtres. Vous l'auriez plus souvent nourri de coups que d'avoine, car il aurait été rétif ! »

Alors il pique des deux et les laisse là bien trompés. Il les a bien eus ! Grâce à sa ruse et à son astuce, il a pu récupérer son cheval et l'emmener. Ainsi peut-on voir qu'il est parfois utile d'apprendre à ruser et à tromper : maints hommes en ont eu souvent besoin.

> Ce fabliau illustre l'adage « A trompeur, trompeur et demi ». C'est une morale bien médiévale, dérivée de la loi du talion (Œil pour œil, dent pour dent ») : tout trompeur est trompé à son tour. Pathelin en est un témoignage. En fait, ici, il n'y a ni vainqueur ni vaincu ; cela tient au fait qu'il y a retournement et non pas intervention d'un troisième personnage comme le berger de *La Farce de Pathelin*. D'autre part, un joueur de dés, tricheur par excellence, ne peut l'emporter car sa force ne réside pas dans la ruse, dans l'intelligence, mais bien plutôt dans son habileté à manipuler un objet ; il reste au bas de l'échelle des trompeurs. Quant au prêtre, son astuce lui permet tout juste de s'en sortir car il y laisse son argent : c'est là la punition habituelle des prêtres qui se laissent aller à des actes que la morale réprouve.

Tableau des équivalences monétaires au Moyen Age L'unité étant le *denier*, on a le schéma suivant :			
1/2 denier = 1 *maille*	*denier*	12 deniers = 1 *sou*	240 deniers = 20 sous = 1 *livre*

Un jeu de dés du Moyen Age : le jeu de « hasart » :

Il se joue avec trois dés et selon la règle suivante :

L'ordre des joueurs étant tiré au sort, le premier qui joue doit, pour gagner au premier coup de dés, amener un total de 3, 4, 5, 6 (combinaisons possibles à partir de 1, 2 et 3) ou de 15, 16, 17, 18 (combinaisons possibles à partir de 4, 5 et 6). Chacun de ces huit nombres est appelé *hasart*. S'il ne réussit pas un *hasart*, le nombre qu'il réalise, nécessairement compris entre 7 et 14, est appelé *chance* et attribué à l'adversaire (qui, pour gagner, devra le réaliser à son tour) et il joue une seconde fois. Lors de ce second coup de dés, s'il fait un *hasart* (coup appelé *reazar*) il perd et s'il fait une *chance*, elle sera dorénavant la sienne, celle que, dans les coups suivants, il devra réaliser pour gagner. A partir de là, chaque joueur joue autant de fois que cela est nécessaire pour ramener l'une des deux *chances* : si le joueur ramène la sienne, il gagne ; s'il ramène celle attribuée à son adversaire, il perd.

A la lumière de cette règle, essayons d'éclairer la partie de *hasart* de notre texte. Thibaut, qui est impatient de jouer (et pour cause, puisqu'il va tricher !) n'attend pas le tirage au sort pour jouer le premier (et il sait qu'il est important de jouer le premier pour pouvoir tricher !) ; il jette les dés non truqués et fait *dix*. Régnier déclare alors que ce nombre sera la *chance* attribuée au prêtre. Puis après avoir, sur la demande du prêtre, présenté sa mise, il joue une seconde fois et fait *douze* : ce sera sa propre *chance*. A partir de là chacun va jouer à son tour en commençant par le prêtre. Mais Thibaut remplace les dés normaux par les dés truqués dont les faces font *deux* ou *trois*, le prêtre ne peut donc réaliser qu'un nombre compris entre 6 et 9 : il lui est impossible de gagner puisqu'il lui faut faire 10. Effectivement, il réalise 7 ! Thibaut rejoue à son tour avec les bons dés et, sans doute en trichant, fait 12 ce qui est sa propre *chance*. Il a donc gagné.

Il faut ajouter que même s'il avait joué en premier, le prêtre, avec les dés truqués, n'avait sur la multitude des combinaisons possibles, qu'une bien maigre chance de faire *hasart* : pour cela il lui aurait fallu faire 2 avec chacun de ses trois dés !

Dans la suite du jeu, le prêtre ayant mordu à l'hameçon, Thibaut ne se gêne plus pour tricher (d'ailleurs le prêtre l'accusera de poser les dés sans les faire rouler) : il réalise des *hasarts* successifs (4 puis 6) qui lui assurent le gain de la partie.

Estula

Il y avait jadis deux frères qui n'avaient plus ni père ni mère pour les conseiller et qui vivaient seuls sans la moindre compagnie. Pauvreté était leur seule amie car bien souvent elle leur tenait compagnie et c'est là une amie qui fait souffrir plus qu'à leur tour ceux avec lesquels elle se trouve. Et il n'est guère de souffrance plus pénible. Les deux frères dont je vais vous parler demeuraient ensemble. Une nuit, mourant de faim, de soif et de froid — maux qui harcèlent souvent ceux que Pauvreté tient sous sa coupe — ils se mirent à penser au moyen de se défendre contre la pauvreté qui les oppressait et les faisait vivre dans un malaise perpétuel. Un homme réputé pour sa grande richesse demeurait près de chez eux. Eux sont pauvres et le riche est sot. Il avait des choux dans son jardin et des brebis dans son étable. Les deux frères se sont dirigés vers sa maison : la pauvreté fait souvent perdre l'esprit. L'un a pris un sac à son cou et l'autre un couteau à sa main. Tous les deux arrivent à pied d'œuvre ; l'un entre dans le jardin et sans plus attendre se met à couper des choux, et l'autre se dirige vers l'étable, atteint la porte et l'ouvre ; puis, comme il lui semble que tout va pour le mieux, il se met à tâter les moutons pour trouver le plus gras. Mais personne n'était encore couché dans la maison de sorte que l'on entendit le bruit de la porte de l'étable quand il l'ouvrit. Le bourgeois appela son fils.

« Va voir dans le jardin s'il n'y a rien d'anormal et appelle le chien. »

Le chien s'appelait Estula mais, par chance pour les deux frères, cette nuit-là, il n'était pas dans la cour. Le garçon, tout en prêtant l'oreille, ouvrit la porte donnant sur la cour et appela :

« Estula ! Estula ! »

Et celui des deux frères qui était dans l'étable répondit :

« Oui, je suis là. »

Il faisait très sombre, de sorte que le garçon ne put pas apercevoir celui qui lui avait ainsi répondu. Il crut fermement que c'était le chien qui lui avait répondu, et sans attendre, il revint en courant vers la maison où il arriva tout tremblant de peur.

« Qu'as-tu donc, beau fils ? lui demanda le père.

— Père, je vous le jure sur la tête de ma mère, Estula vient de me parler.

— Qui ? Notre chien ?

— Oui, vraiment. Et si vous ne voulez pas me croire, appelez-le vous-même : vous pourrez l'entendre. »

Le bourgeois sortit précipitamment dans la cour pour voir ce miracle et il se mit à appeler son chien Estula. Et l'autre, qui ne s'était aperçu de rien, répondit :

« Mais oui, je suis là. »

Le bourgeois en fut tout éberlué :

« Par tous les saints et les saintes, fils, j'ai déjà entendu des choses étonnantes, mais comme celle-ci jamais ! Dépêche-toi, va raconter ces merveilles au curé et ramène-le avec toi. Et dis-lui d'apporter avec lui son étole[1] et de l'eau bénite. »

Le garçon prit ses jambes à son cou et arriva bien vite au presbytère. Sans perdre un instant, il s'approcha du prêtre et lui dit :

« Sire, venez chez nous ; suivez-moi vite : vous allez entendre des choses si étonnantes que vous n'en

---

1. L'étole est la bande de tissu brodé que le prêtre porte autour du cou et qui est l'insigne de son pouvoir sacré. Il l'utilise pour exorciser les démons.

avez jamais entendu de pareilles. Prenez votre étole
au cou. »

Mais le prêtre lui répondit :

« Tu es complètement fou de vouloir m'emmener
dehors. Je suis pieds nus ; je ne peux pas y aller. »

Le garçon lui répliqua :

« Si ! Vous viendrez : je vous porterai. »

Sans dire un mot de plus, le prêtre prend son étole,
monte sur le dos du garçon et les voilà partis. Pour
arriver plus vite, le garçon descendit tout droit par le
sentier qu'avaient emprunté ceux qui étaient en quête
de subsistance. Celui qui était en train de ramasser les
choux vit arriver la silhouette blanchâtre du curé ; il
crut que c'était son frère qui revenait en portant son
larcin et il lui demanda joyeusement :

« Rapportes-tu quelque chose ?

— Par ma foi, oui, répondit le garçon qui pensait
que c'était son père qui avait parlé.

— Alors vite, pose-le là. Mon couteau est bien
émoulu car je l'ai fait affûter hier à la forge ; je vais
lui trancher la gorge. »

Quand le prêtre entendit cela, il crut qu'on l'avait
attiré dans un piège et, sautant des épaules du garçon,
il prit ses jambes à son cou, tout affolé. Mais il
accrocha son surplis[1] à un pieu de sorte qu'il y resta
et il n'osa pas prendre le temps de le décrocher. Celui
qui ramassait les choux ne fut pas moins surpris que
celui qui s'enfuyait à cause de lui : il ne comprenait
pas ce qui lui avait pris ! Néanmoins il alla prendre
cette chose blanche qu'il voyait pendre au pieu et il
vit que c'était un surplis. L'autre frère sortit alors de
l'étable avec un mouton sur le dos ; il appela celui qui
avait rempli son sac de choux et tous les deux, les
épaules bien chargées, regagnèrent sans plus s'attarder
leur maison qui n'était pas loin. Celui qui avait
ramassé le surplis montra son butin à son frère : tous

---

1. Le *surplis* est le vêtement de lin à manches larges, souvent
plissé, que les prêtres portent sur la soutane et qui descend à mi-
jambe.

les deux ont bien plaisanté. Ils avaient maintenant retrouvé l'envie de rire que naguère ils avaient perdue.

En peu de temps Dieu accomplit son œuvre. Tel rit le matin qui pleure le soir, et tel est triste le soir qui est gai et heureux au matin.

> Sous prétexte d'illustrer un proverbe, ce fabliau qui est l'un des plus connus et des mieux réussis, utilise toutes les formes de *quiproquo* : incompréhension du langage (fondée sur l'homophonie), confusion entre une personne et un animal, entre deux personnes... et tout cela en cascade. C'est un véritable petit chef-d'œuvre même si la morale en est douteuse. Mais pour le Moyen Age, la charité doit être la vertu première et la faim excuse les moyens surtout s'ils s'exercent aux dépens d'un riche dont on suggère le manque de générosité (n'aurait-il pas pu secourir ses plus proches voisins ?) et qui est suffisamment sot pour croire qu'un chien peut parler ! Signalons aussi le comique de situation qui fait de ce fabliau une petite farce en puissance.

Les trois aveugles de Compiègne
par Courtebarbe

Je vais maintenant vous raconter l'histoire contenue
dans un fabliau que je vais vous faire connaître. On
tient pour sage un ménestrel[1] qui met tout son art à
imaginer les beaux récits et les belles histoires que l'on
raconte devant les comtes et les ducs. C'est une bonne
chose que d'écouter des fabliaux car ils font oublier
maints chagrins, maintes douleurs et maints ennuis.
C'est Courtebarbe qui fit ce fabliau et je crois qu'il
s'en souvient encore.

Il arriva un jour que trois aveugles cheminaient près
de Compiègne. Aucun d'entre eux n'avait de valet
pour les guider et les conduire ou leur enseigner le
chemin. Chacun d'eux avait une sébile. Ils portaient
de pauvres vêtements car ils n'avaient pas d'argent
pour se vêtir. C'est dans cet état qu'ils suivaient le
chemin qui mène à Senlis. Or, un clerc[2], qui venait de
Paris et avait plus d'un tour dans son sac, vint à
rattraper les aveugles car il chevauchait à vive allure,
monté sur un magnifique palefroi et suivi d'un écuyer
qui tirait un cheval de somme. Il vit que personne ne
les guidait et pensa qu'aucun d'entre eux ne voyait

1. *Ménestrel* : chanteur ambulant, jongleur qui accompagne sa
déclamation en jouant d'un instrument de musique, viole par
exemple.
2. Le *clerc* est d'abord un lettré, un étudiant qui n'entrera pas
nécessairement dans la carrière ecclésiastique.

clair : comment pouvaient-ils trouver leur chemin ?
Il se dit :

« Que la goutte[1] me frappe si je ne me rends compte
s'ils y voient quelque chose ! »

Les aveugles l'avaient entendu venir ; ils se rangè-
rent promptement sur le côté du chemin et lui dirent :

« Faites-nous la charité. Nous sommes plus pauvres
que n'importe quelle créature, car celui qui ne voit
rien est vraiment le plus pauvre. »

Le clerc, sur-le-champ, imagina un bon tour à leur
jouer :

« Voici un besant[2] que je vous donne à tous les
trois.

— Dieu vous le rende, par la Sainte Croix, fait
chacun d'eux, ce n'est pas un vilain don ! »

Chacun croit que c'est son compagnon qui l'a reçu.
Le clerc les quitte alors en se disant qu'il veut voir
comment ils partageront. Il mit pied à terre et prêta
l'oreille à ce que disaient les aveugles. Le plus vieux
des trois dit alors :

« Il ne s'est pas moqué de nous, celui qui nous a
donné ce besant, car un besant est un bien beau don.
Savez-vous ce que nous allons faire ? Nous allons
retourner à Compiègne ; il y a bien longtemps que
nous n'avons pas eu nos aises et il est juste que chacun
ait un peu de plaisir. Compiègne est une ville où l'on
trouve tout ce qu'il faut !

— Voici une bonne parole, répondit chacun des
deux autres.

— Pressons-nous de repasser le pont. »

Ils regagnèrent Compiègne dans le même équipage.
Ils étaient tout heureux et réjouis. Le clerc leur emboîta
le pas en se disant qu'il les suivra jusqu'à ce qu'il
sache le fin mot de l'histoire. Ils entrèrent dans la ville
et prêtèrent l'oreille à ce que l'on criait sur la place :

1. *Goutte* : maladie douloureuse, touchant les articulations, fréquente au Moyen Age.
2. Le besant est une pièce d'or qui vaut environ une livre, c'est-
à-dire 20 sous ou 240 deniers.

« Ici, il y a du bon vin nouveau bien frais, là du vin d'Auxerre, là du vin de Soissons, du pain, de la viande, du vin et du poisson ; ici, il est agréable de dépenser son argent ; il y a de la place pour tout le monde ; il est agréable d'être hébergé ici. »

Ils se dirigèrent dans cette direction sans crainte et entrèrent dans l'auberge. Ils appelèrent l'hôte et lui dirent :

« Prêtez-nous attention, et ne nous prenez pas pour des vagabonds bien que nous ayons l'air bien pauvres. Nous voulons une chambre et nous vous paierons mieux que des gens plus élégants (c'est ce qu'ils lui ont dit et il les crut). Nous voulons être servis largement. » L'hôte pense qu'ils disent vrai, car de telles gens ont parfois beaucoup d'argent. Il s'empresse de les satisfaire et les mène dans la meilleure chambre.

« Seigneurs, fit-il, vous pourriez rester ici une semaine en satisfaisant toutes vos envies. Dans la ville entière, il n'y a pas un morceau de choix que vous ne puissiez avoir si vous le désirez.

— Sire, répondirent-ils, allez vite et faites-nous servir copieusement !

— Faites-moi confiance », répondit le bourgeois et il partit.

Il leur prépara cinq grands services[1], pain et viande, pâtés et volailles, et des vins parmi les meilleurs puis il les leur fit porter et fit mettre du charbon dans le feu. Les aveugles se sont assis à une bonne table.

Le valet du clerc a retenu un logement et mené les chevaux à l'étable. Le clerc, qui était bien élevé et vêtu avec recherche, déjeuna le matin et dîna le soir fort dignement en compagnie de l'hôte. Les aveugles furent servis dans la chambre haute comme des chevaliers. Chacun d'eux menait grand tapage ; ils se servaient le vin mutuellement : « Tiens, je t'en donne et je ne m'oublie pas : ce vin est venu d'une bonne vigne ! » Ne croyez pas qu'ils se soient ennuyés ; au

---

1. *Service* : ensemble des plats apportés en même temps sur la table.

contraire ; jusqu'au milieu de la nuit, ils menèrent grande liesse ! Puis, les lits étant faits, ils allèrent se coucher jusqu'au lendemain assez tard. Le clerc était resté là car il voulait savoir le fin mot de l'histoire. L'hôte se leva de bon matin ainsi que son valet ; ils se mirent à compter à combien s'était élevée la dépense en viande et en poisson. Le valet déclara :

« En vérité, ils ont bien dépensé, en pain, en vin et en pâté, pour plus de dix sous, tant ils ont fait bombance. Quant au clerc, sa dépense s'élève à cinq sous.

— Avec lui, je ne risque pas d'avoir de problèmes ; mais va plutôt là-haut et fais-moi payer. »

Le valet, sans plus attendre, vint trouver les aveugles et leur demanda de se rhabiller sur-le-champ, car son maître voulait être payé. Ils lui répondent :

« Ne vous en faites pas, car nous le paierons largement. Savez-vous ce que nous devons ?

— Oui, dit-il, vous devez dix sous.

— Cela les vaut bien. »

Chacun se lève et tous les trois sont descendus dans la grande salle. Le clerc, qui se chaussait au pied de son lit, avait tout entendu. Les trois aveugles se sont adressés à l'hôte :

« Sire, nous avons un besant et je crois qu'il pèse bien son poids. Rendez-nous donc la monnaie avant que nous ne commandions autre chose !

— Volontiers », fait l'hôte.

L'un des aveugles dit alors :

« Que celui qui l'a le lui donne, car, pour ma part, je ne l'ai pas.

— Alors c'est donc Robert Barbe-Fleurie !

— Je ne l'ai pas, mais je sais bien que c'est vous !

— Corbieu ! Je ne l'ai pas.

— Alors qui l'a ?

— C'est toi.

— Non, c'est toi !

— Vous allez payer, maîtres truands, ou vous serez battus, explosa l'hôte, et jetés dans les latrines puantes avant que vous ne partiez d'ici !

— Au nom de Dieu, grâce ! font-ils. Sire, nous vous paierons convenablement. »

Et ils se mettent à reprendre leur dispute.

« Robert, fait l'un, donnez-lui le besant. C'est vous qui marchiez devant : c'est donc vous qui l'avez reçu.

— Non c'est vous, vous qui veniez le dernier. Donnez-le-lui, car je ne l'ai pas.

— Eh bien, je suis arrivé à temps, fait l'hôte ; on veut me gruger. »

Il donne un grand soufflet à l'un et fait apporter deux gourdins. Le clerc, qui était aisé et que l'affaire amusait fort, se pâmait de rire et d'aise. Mais quand il vit que la dispute tournait mal, il vint trouver l'hôte et lui demanda ce qu'il y avait et ce qu'il voulait à ces gens. L'hôte lui dit : « Ils me doivent un écot de dix sous pour ce qu'ils ont mangé et bu et ils ne font que se moquer de moi mais je vais bien leur en donner pour leur argent : chacun va le sentir passer !

— Mettez-le plutôt sur mon compte, fait le clerc ; je vous devrai quinze sous. Il ne faut pas tourmenter les pauvres gens. »

L'hôte répondit :

« Très volontiers ; vous êtes un clerc franc et généreux. »

Et les aveugles purent partir quittes de tout.

Écoutez maintenant quel autre subterfuge le clerc imagina. On sonnait alors la messe ; il vint trouver l'hôte et lui dit :

« Hôte, connaissez-vous le curé de l'église ? Ces quinze sous, les lui en feriez-vous crédit s'il s'engageait à vous les payer pour moi ?

— Pour cela, je n'en doute pas, fait le bourgeois ; par saint Sylvestre, je ferais crédit au prêtre, s'il le voulait, pour plus de trente livres !

— Alors acceptez que je m'acquitte de ma dette dès mon retour : je vous ferai payer à l'église. »

L'hôte acquiesce et le clerc ordonne aussitôt à son valet de préparer son palefroi et ses bagages de manière à ce que tout soit prêt pour son retour, et il demande à l'hôte de l'accompagner. Tous les deux gagnent l'église et pénètrent jusque dans le chœur. Le clerc qui doit les quinze sous a pris son hôte par la main et l'a fait asseoir près de lui, puis il lui dit :

« Je n'ai pas le loisir de rester jusqu'à la fin de la messe mais je vous ferai régler mon dû. Je vais aller lui dire qu'il vous paie intégralement les quinze sous dès qu'il aura fini de chanter sa messe.

— Faites comme vous l'entendez », répondit le bourgeois tout confiant.

Le prêtre, qui devait commencer à dire la messe, avait revêtu sa chasuble[1]. Le clerc, qui savait ce qu'il avait à dire, vint se placer devant lui. Il avait l'air d'un gentilhomme et avait un visage candide. Il tira douze deniers[2] de sa bourse et les glissa dans la main du prêtre :

« Sire, fait-il, au nom de saint Germain, accordez-moi votre attention. Tous les clercs doivent s'entraider : c'est pour cela que je suis venu vous trouver. J'ai passé la nuit dans une auberge appartenant à un bourgeois très aimable ; que le doux Jésus le soulage : c'est un brave homme, honnête et droit, mais, hier soir, une cruelle maladie lui a attaqué le cerveau alors que nous faisions la fête et il en a perdu la raison. Dieu merci, il va mieux mais la tête lui fait encore

1. *Chasuble* : vêtement de dessus que met le prêtre pour célébrer la messe.
2. Pour comprendre la saveur du bon tour que l'écolier va jouer au bourgeois, il faut savoir qu'à l'époque douze deniers valaient un sou (vingt sous faisaient une livre et le besant, pièce d'or dont le cours a varié selon les époques, valait au moins une livre). Le clerc règle donc son écot et celui des aveugles avec le quinzième de ce qu'on lui réclamait. Ce bon tour qui a eu beaucoup de succès puisqu'on le retrouve encore au XVe siècle dans *Les Repues franches de maître François Villon*, et dans une farce intitulée *Le Nouveau Pathelin*, est toujours l'œuvre d'un écolier ou d'un clerc et s'exerce toujours aux dépens d'un commerçant, aubergiste, pelletier, poisson-nier...

mal. Aussi je vous prie de lui lire un Évangile au-
dessus de la tête[1] lorsque vous aurez fini la messe.

— Par saint Gilles, fit le prêtre, je le lui lirai. » Et,
s'adressant au bourgeois :

« Je le ferai dès que la messe sera terminée et j'en
déclare le clerc quitte[2].

— Je ne demande pas mieux, répliqua le bourgeois.

— Sire prêtre, que Dieu vous garde, fait le clerc.
Adieu, beau maître. »

Le prêtre monta alors à l'autel et commença à
chanter la grand-messe. C'était dimanche et beaucoup
de gens étaient venus à l'église. Le clerc, qui était bien
élevé, vint prendre congé de son hôte et le bourgeois,
sans plus attendre, le raccompagna jusqu'à l'auberge.

Le clerc monta à cheval et s'éloigna. Et le bourgeois,
sitôt après, revint à l'église : il avait hâte de recevoir
ses quinze sous et, en vérité, il pensait les avoir sans
problème. Il attendit dans le haut du chœur que la
messe soit terminée et que le prêtre se soit dévêtu. De
son côté, le prêtre, sans perdre de temps, a pris ses
Évangiles et son étole et il a appelé :

« Sire Nicolas, approchez-vous et agenouillez-vous ! »

Quand il entend ces mots, le bourgeois n'est pas des
plus heureux et il réplique :

« Je ne suis pas venu pour cela. Payez-moi plutôt
mes quinze sous !

— Ma parole ! Il est vraiment fou ! se dit le prêtre.
Nomini[3]... Mon Dieu, secourez l'âme de ce brave
homme car, en vérité, je vois bien qu'il est fou !

— A moi ! s'écria le bourgeois, à moi ! Voyez
comme ce prêtre se moque de moi ! Peu s'en est fallu

1. Ce que suggère le clerc, c'est d'exorciser, selon les formes
habituelles, le malheureux bourgeois. Tel était à l'époque le traite-
ment de la folie, maladie du diable : le prêtre, qui a revêtu son
étole (bande de tissu brodé qu'il porte au coù, croisée sur l'aube, et
qui est l'insigne de son pouvoir sacré), pose l'Évangile sur la tête du
possédé et en lit un passage.
2. Le curé déclare le clerc *quitte*, car il a payé le prix de
l'exorcisme. D'où le quiproquo qui va en résulter.
3. Début de l'invocation « *Au nom* du Père... ».

que je n'en perde le sens quand je l'ai vu arriver avec ses Évangiles !

— Beau doux ami, dit le prêtre, je vous dirai simplement que quoi qu'il advienne, il faut toujours penser à Dieu et dès lors il ne peut rien vous arriver de mal. »

Il lui pose les Évangiles sur la tête avec l'intention d'en lire un passage, mais le bourgeois commence à lui dire :

« J'ai du travail à l'auberge et je n'ai pas de temps à perdre avec ces plaisanteries. Donnez-moi vite mon argent. »

Le prêtre est fort contrarié ; il appelle tous ses paroissiens qui s'attroupent autour de lui et il leur dit :

« Saisissez-vous de cet homme, car je vois bien qu'il est fou !

— Pas le moins du monde, fait le bourgeois, par saint Corneille ! Mais, sur la tête de ma fille, vous me paierez mes quinze sous et vous ne vous moquerez pas de moi plus longtemps.

— Attrapez-le vite », réplique le prêtre.

Sans une hésitation, les paroissiens le maîtrisent tout aussitôt et lui tiennent les deux mains. Chacun essaie de le réconforter de son mieux et le prêtre apporte les Évangiles. Il les lui pose sur la tête et il lui lit un passage de bout en bout, l'étole autour du cou. C'est bien à tort qu'il le prenait pour fou. Il l'asperge d'eau bénite. Le bourgeois n'a plus d'autre envie que de revenir à son auberge. On le relâcha et le prêtre le bénit en lui disant :

« Vos tourments sont maintenant terminés. »

Le bourgeois se tient coi mais il est furieux et dépité d'avoir été ainsi abusé. Mais néanmoins heureux de pouvoir s'en aller, il revint tout droit à son auberge.

Courtebarbe ajoute en conclusion qu'à tort on porte dommage à maintes personnes. C'est ainsi que je terminerai mon conte.

Ce fabliau, qui est l'un des plus connus, se compose en fait de deux récits juxtaposés, unifiés par la présence du même personnage central (qui, dans les deux cas, est l'élément moteur de l'action), le joyeux clerc, rusé et retors, qui est une autre figure du *trickster*. Ces deux récits ont d'ailleurs rencontré un franc succès si l'on en juge par le nombre des imitations qu'ils ont suscitées.

Le premier, qui met en scène trois aveugles auxquels le joyeux clerc joue un bon tour (parole sans acte, génératrice d'un *quiproquo*) peut paraître bien cruel à notre époque mais au Moyen Age le sentiment commun à l'égard des aveugles était tout autre. En témoigne une petite pièce dramatique du XIIIᵉ siècle, que l'on peut considérer comme la première farce connue : *Le Garçon et l'Aveugle*. Un jeune garçon, contrefaisant le naïf, se fait engager par un aveugle retors, cupide et vicieux ; par différentes astuces (notamment en déguisant sa voix), il le roue de coups et le dépouille (voir Jean Dufournet, *Le Garçon et l'Aveugle*, Champion, Traductions, 31, Paris, 1982). Le Moyen Age éprouvait une méfiance instinctive à l'égard des aveugles ; d'ailleurs dans notre fabliau tout vient de ce que le joyeux clerc veut tester la véracité de l'infirmité des aveugles, infirmité que rend douteuse le fait qu'ils n'ont personne pour les guider ; après quoi, il assiste en spectateur à l'action que son test a déclenchée mais il intervient pour l'arrêter quand il voit qu'elle risque de mal se terminer pour des aveugles qui ont prouvé la réalité de leur infirmité et qui se révèlent, tout compte fait, de pauvres et braves gens.

Mais le portrait de l'aveugle est bien plus souvent poussé au noir, comme dans la pièce citée ou *La Vie de Lazarillo de Tormes*. C'est que l'aveugle (infirmité fréquente au Moyen Age, due à la mauvaise alimentation, à une hygiène déplorable, comme dans les pays sous-développés, due aussi aux croisades dont on revenait les yeux affaiblis par l'éclat du soleil et la réverbération des sables), depuis les plus antiques croyances religieuses, a toujours été considéré comme un possédé ou un réprouvé : il expie ainsi un péché et c'est le diable qui l'a privé de la vue. Et malgré le christianisme qui en prend la défense, malgré les efforts des théologiens, comme Thomas d'Aquin, pour le réhabiliter, l'aveugle reste un suspect dont l'infirmité physique symbolise l'aveuglement moral. D'ailleurs il faut ajouter que les aveugles, mêlés dans leur vie errante à la foule des mendiants de tous ordres, rejetés dans le monde des marginaux qui fréquentaient les tavernes, se faisaient souvent les complices des truands, ce qui dressait contre eux l'opinion publique.

Quant au second récit, son comique repose sur la création d'une situation de *quiproquo* dont les victimes traditionnelles sont l'aubergiste et le prêtre, situation éminemment dramatique que l'on retrouve dans « Le Repas de Villon et de ses compagnons » et dans *Le Nouveau Pathelin* : dans les deux cas, un joyeux luron parvient, de la même manière, en jouant sur le double sens du mot *dépêcher* (*payer* et *confesser et absoudre*), à s'emparer sans bourse délier de victuailles ou de fourrures, et ceci en envoyant le marchand se faire payer par le prêtre qui croit avoir à le confesser !

Les perdrix

Puisque j'ai l'habitude de vous raconter des fabliaux, je veux aujourd'hui, au lieu d'une fable, vous rapporter une histoire vécue.

Un vilain[1] prit un jour, au pied de sa haie, deux perdrix. Il mit tout son soin à les préparer et les donna à sa femme pour les faire cuire. C'est une chose qu'elle savait faire parfaitement. Elle alluma le feu et prépara la broche, pendant que le vilain sortait en courant pour aller inviter le prêtre. Mais il s'attarda tant que les perdrix furent cuites bien avant son retour. La dame retira la broche et prit un peu de peau car elle était gourmande. Quand Dieu lui offrait quelque chose, elle ne souhaitait jamais la richesse, mais seulement la satisfaction de ses désirs. Elle se précipite sur l'une des perdrix et en dévore les deux ailes, puis elle va dans la rue pour voir si son mari revient. Comme elle ne l'aperçoit pas, elle rentre dans la maison et fait subir le même sort au morceau de la perdrix qui restait. Puis elle se dit qu'elle ne pourra pas s'empêcher de dévorer l'autre. Elle sait très bien ce qu'elle dira si on lui demande ce qu'elles sont devenues : elle dira qu'à peine elle les avait retirées du feu, des chats sont arrivés et les lui ont arrachées des mains, chaque chat emportant la sienne. Ainsi pense-t-elle, elle s'en tirera. Elle retourne dans la rue pour guetter son mari et ne le voyant pas venir, elle sent l'eau lui venir à la bouche en pensant à la perdrix qu'elle a gardée. Elle sent qu'elle va en devenir enragée si elle n'en prend encore

1. *Vilain* : terme qui désigne le paysan au Moyen Age.

un petit morceau. Elle détache le cou délicatement et le mange avec délices ; elle s'en pourlèche les doigts.

« Hélas ! se dit-elle, que vais-je faire ? Si je mange tout, comment m'en sortirai-je ? Et comment renoncer à ce qui reste ? J'en ai une envie folle ! Ma foi, advienne que pourra, il faut que je la mange en entier. »

L'attente dura tant que la dame satisfit son envie. Mais le vilain ne tarda guère ; il arriva chez lui en criant :

« Oh ! Dis-moi : les perdrix sont-elles cuites ?

— Sire, répondit-elle, c'est la catastrophe : les chats les ont mangées ! »

Le vilain fit un bond et se précipita sur elle comme un fou et il lui aurait arraché les yeux si elle ne s'était écriée :

« C'était pour rire ! C'était une plaisanterie ! Arrière, suppôt de Satan, je les ai couvertes pour les tenir bien au chaud.

— Il s'en est fallu de peu que je ne vous chante une sacrée messe, par la foi que je dois à saint Lazare[1] ! Vite, mon bon hanap[2] de bois et ma plus belle nappe blanche ! Je vais l'étendre sous cette treille dans le pré.

— Avant, n'oubliez pas de prendre votre grand couteau qui a bien besoin d'être aiguisé. Et affûtez-le un peu sur la meule dans la cour. »

Le vilain quitte sa cape et, couteau en main, se précipite vers la meule.

Voici alors qu'arrive le chapelain qui venait dîner. Il vient directement vers la dame et l'embrasse doucement. Mais celle-ci se borne à lui glisser :

« Sire, sauvez-vous, sauvez-vous vite, je ne veux pas vous voir honni ou maltraité devant mes yeux.

---

1. *Lazare*, malade, mourut et fut ressuscité quatre jours après par Jésus ; il sortit de son tombeau les mains et les pieds liés par les bandelettes dont on l'avait enveloppé. Que le vilain jure par saint Lazare est amusant car cela veut dire que, sans qu'il s'en rende compte, il se fait mener par le bout du nez par sa femme.

2. *Hanap* : en général, c'est un gobelet d'or ou d'argent. Ici, il est en bois : le vilain joue au seigneur.

Mon mari est sorti pour aiguiser son grand couteau et il dit que s'il peut vous attraper, il vous tranchera les couilles[1] !

— Pense à Dieu, dit le prêtre : qu'inventes-tu là ? Nous devions manger deux perdrix que ton mari a attrapées ce matin. »

Et elle lui répond :

« Je vous jure par saint Martin qu'il n'y a ici ni perdrix ni oiseau d'aucune sorte. J'aurais plaisir à vous faire dîner mais je serais encore plus contrite s'il vous arrivait malheur. Regardez-le, là-bas ; voyez-le aiguiser son grand couteau !

— En effet, je le vois. Par mon bonnet, je veux bien croire que tu m'as dit la vérité. »

Et, sans plus attendre, il prit ses jambes à son cou cependant que la dame se mettait à appeler :

« Sire Gombaut, venez vite !

— Qu'as-tu donc, demanda-t-il, au nom de Dieu ?

— Ce que j'ai ! Vous allez le savoir bien vite et si vous ne pouvez pas courir assez vite vous allez y perdre, car, par le respect que je vous dois, le prêtre emporte vos perdrix ! »

Rempli de fureur, le vilain se lança à la poursuite du prêtre, le couteau à la main et dès qu'il l'aperçut, il lui cria :

« Vous ne les emporterez pas ! » Et il ajouta, en hurlant par bribes : « Vous les emportez toutes chaudes ! Mais vous serez bien contraint de les laisser si je vous rattrape ! Ce serait contraire à toute bonne camaraderie si vous les mangiez sans moi. »

Le prêtre jette un coup d'œil derrière lui et voit le vilain qui accourt, le couteau à la main. Il se voit déjà mort si le vilain le rattrape. Il ne ménage pas sa peine pour accélérer sa fuite. Le vilain qui pensait récupérer

1. *Couilles* : terme vulgaire. Mais au Moyen Age le monde paysan ignorait la vulgarité et appelait sans rougir les choses par leur nom courant. Or ce terme, qui vient du mot latin populaire *colea*, était le terme courant utilisé pour nommer l'organe en question. C'est la pudeur des siècles suivants qui fera dire par allusion : « les parties honteuses ».

ses perdrix, accélère aussi l'allure mais le prêtre, d'un bond, s'est réfugié dans sa maison.

Le vilain revint alors chez lui et demanda à sa femme :

« Dis-moi, dit-il, comment as-tu fait pour te faire prendre les perdrix ? » Et celle-ci lui répondit :

« Aussi vrai que je souhaite que Dieu me vienne en aide, dès que le prêtre m'a vue, il m'a suppliée, si je l'aimais un peu, de lui montrer les perdrix, car il aurait grand plaisir à les voir. Je l'ai emmené là où je les tenais au chaud. Aussitôt, il tendit les mains, s'en saisit, et prit ses jambes à son cou. Je n'ai guère pu le poursuivre mais je vous ai tout de suite mis au courant. »

Le vilain répondit alors :

« Après tout, c'est peut-être la vérité. Laissons-le là où il est. »

Ainsi le prêtre et Gombaut, qui attrapa les perdrix, furent-ils trompés tous les deux.

Ce fabliau montre bien que la femme a été créée pour tromper : elle fait passer un mensonge pour une vérité et une vérité pour un mensonge. Celui qui fit ce fabliau n'a ici plus rien à rajouter. Ainsi se termine le « Fabliau des perdrix ».

Encore un fabliau très connu. Son intérêt réside principalement dans la peinture de la femme, gourmande (et la première partie peint avec un raffinement psychologique rare dans les fabliaux, les manifestations de ce péché que d'aucuns considèrent comme « mignon ») et rusée, qui sait, comme le *trickster*, pour se tirer d'un mauvais pas, créer entre son mari et le curé, une situation de *quiproquo* qui les met aux prises et lui évite une punition méritée.

Le paysan devenu médecin

Jadis vivait un riche paysan qui était très avare ; du matin au soir, il était derrière sa charrue tirée par une jument et un cheval de trait. Il avait à sa suffisance, pain, viande, vin et tout ce dont il avait besoin mais il ne s'était pas marié et ses amis et ses voisins l'en blâmaient fort. Il disait cependant qu'il prendrait volontiers une bonne femme s'il pouvait la trouver. Aussi ses amis lui promirent-ils de lui chercher la meilleure qu'ils pourraient lui trouver.

Il y avait dans le pays un chevalier âgé et devenu veuf qui avait une fille très belle et fort courtoise. Mais, comme il n'était pas très riche, le chevalier ne trouvait personne pour lui demander la main de sa fille et, pourtant, il l'aurait volontiers mariée car elle en avait l'âge. Les amis du paysan vinrent trouver le chevalier et lui demandèrent la main de sa fille pour ce vilain qui avait tant d'or et d'argent, du blé en quantité et de la bonne toile à profusion. Il la leur donna sans la moindre hésitation et consentit au mariage. La jeune fille, qui était pleine de sagesse, n'osa pas contredire son père car elle avait perdu sa mère. Elle se plia à son désir. Et le paysan, aussi vite qu'il le put, célébra ses noces en épousant celle qui en était fort attristée bien qu'elle n'osât pas le montrer. Quand tous ces événements furent passés, la noce et le reste, il ne fallut pas longtemps au paysan pour penser qu'il avait fait une mauvaise affaire : il ne convenait pas à ses besoins d'avoir une fille de chevalier pour femme. Quand il ira à la charrue, les jeunes godelureaux pour qui tous les jours sont fériés, viendront traîner dans sa rue ; à peine aura-t-il tourné le dos que le chapelain viendra avec assiduité faire la cour à sa femme, laquelle ne l'aimera jamais et n'aura pas pour lui la moindre estime !

« Hélas ! Pauvre de moi, se disait le paysan, je ne sais quoi faire et il ne sert à rien de se perdre en de vains regrets. » Alors il commença à réfléchir au moyen de préserver sa femme de ces tentations : « Dieu ! se dit-il, si je la battais le matin en me levant, elle passerait le reste de la journée à pleurer pendant que je serais à mon travail ; et je sais bien que tant qu'elle pleurerait, personne ne songerait à lui faire la cour. Et quand je reviendrais le soir, je lui demanderais pardon ; le soir je la rendrais joyeuse mais au matin elle serait de nouveau dolente[1]. Je vais prendre congé d'elle dès que j'aurai mangé un peu. » Le paysan demanda son repas et la dame s'empressa de le servir. A défaut de saumon et de perdrix, ils eurent du pain, du vin, des œufs frits et du fromage en abondance, nourriture que produisait le paysan.

Quand la table fut débarrassée, de la paume de la main qu'il avait grande et large, il frappa sa femme en pleine figure, y laissant la marque de ses doigts ; puis, méchamment, il la saisit par les cheveux et lui administra une sévère correction comme si elle l'avait mal servi. Après quoi, il partit rapidement dans les champs en abandonnant sa femme en pleurs.

« Hélas ! fait-elle, que vais-je faire ? Et où prendre conseil ? Je ne sais même plus quoi dire ! Mon père m'a bien sacrifiée en me donnant à ce paysan. Serais-je morte de faim ? Certes j'étais bien folle de consentir à un tel mariage ! Ah ! Dieu ! pourquoi ma mère est-elle morte ? »

Elle se désespérait tant que tous ceux qui venaient pour la voir rebroussaient chemin. Tout le jour elle resta éplorée, jusqu'au coucher du soleil où son mari

---

1. *Dolente* (mot qui appartient à la famille de *douleur*) : affligée, qui souffre et se lamente.

revint à la maison. Il tomba aux pieds de sa femme et lui demanda pardon.

« Sachez que c'est le diable qui m'a poussé à cette violence. Mais je vous jure que plus jamais je ne vous battrai ; je suis vraiment attristé et furieux de vous avoir ainsi battue. » Le vilain puant s'est tant excusé que sa femme lui pardonne et lui sert le repas qu'elle avait préparé. Quand ils eurent assez mangé, ils allèrent se coucher en paix.

Au matin, le rustre a de nouveau battu sa femme au point de manquer l'estropier, puis il est retourné à ses labours. Et de nouveau, la dame éclate en sanglots :

« Hélas ! Que faire ? Et comment me sortir de ce mauvais pas ? Je suis dans une bien mauvaise situation ! Et mon mari a-t-il jamais été battu ? Certainement pas ; il ne sait pas ce que sont les coups ; s'il le savait, pour rien au monde il ne m'en aurait donné autant ! »

Tandis qu'elle se désolait ainsi, arrivèrent deux messagers du roi montés sur des palefrois blancs. Ils se dirigèrent vers la dame en éperonnant et la saluèrent au nom du roi. Puis ils demandèrent à manger car ils en avaient grand besoin. Elle les servit volontiers et leur demanda :

« D'où êtes-vous et où allez-vous ? Dites-moi ce que vous cherchez. »

L'un d'eux lui répondit :

« Dame, en vérité, nous sommes des messagers du roi. Il nous envoie chercher un médecin pour le ramener en Angleterre.

— Pour quoi faire ?

— Demoiselle Aude, la fille du roi, est malade ; il y a bien huit jours qu'elle n'a ni bu ni mangé car une arête de poisson lui est restée fichée dans le gosier. S'il la perd, le roi ne sera plus jamais heureux. »

La dame lui répondit aussitôt :

« Vous n'aurez pas besoin d'aller bien loin car mon mari, je peux vous l'assurer, est un bon médecin. Il connaît plus de remèdes que n'en connut jamais

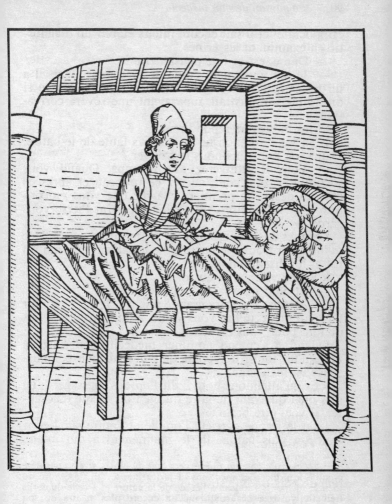

Hippocrate[1] et il sait encore mieux établir un diagnostic en examinant les urines.

— Dame, est-ce une plaisanterie ?

— Je n'ai nullement envie de plaisanter. Mais il a un tel caractère qu'il ne ferait rien pour personne si on ne lui administrait auparavant une sévère correction. »

Et les messagers répondirent :

« On y parera : on ne se fera pas faute de le battre. Dame, où pourrons-nous le trouver ?

— Vous le trouverez aux champs. Quand vous sortirez de cette cour, suivez ce ruisseau et après ce chemin désert, la première charrue que vous rencontrerez, c'est la nôtre. Allez-y. Et que saint Pierre vous garde. »

Les messagers éperonnent leurs montures jusqu'à ce qu'ils aient trouvé le paysan. Ils le saluent au nom du roi et lui disent aussitôt :

« Venez vite parler au roi.

— Et pour quoi faire ? répond le vilain.

— A cause de votre grande science. Il n'y a pas sur terre un médecin qui vous vaille. Nous sommes venus de loin pour vous chercher. »

Quand il s'entend nommer médecin, son sang ne fait qu'un tour ; il répond qu'il n'a aucune connaissance en médecine.

« Et qu'attendons-nous ? dit l'un des messagers. Tu sais bien qu'avant de faire du bien ou même d'accepter, il veut être battu ! »

L'un le frappe derrière l'oreille et l'autre sur le dos avec un gros bâton. Ils le malmènent à qui mieux

1. *Hippocrate* : né en Grèce vers 460 av. J.-C., il est considéré comme le prince des médecins et la légende le fait descendre du dieu Esculape. Il s'attacha à l'étude de la nature et à celle du corps humain, voyagea beaucoup, médita encore plus et tira de son expérience plusieurs ouvrages (*Aphorismes, Pronostics, Traités* divers) qui, apportés en Occident, servirent longtemps de fondement aux études médicales. De nos jours encore, avant d'exercer et de prendre le titre de *docteur*, les futurs médecins prêtent le *serment d'Hippocrate*.

mieux, puis ils le conduisent au roi. Ils l'ont hissé sur un cheval, à l'envers, la tête vers l'arrière. Le roi était venu à leur rencontre. Il leur dit :

« Avez-vous trouvé quelqu'un ?

— Oui, sire », dirent-ils ensemble.

Le vilain tremblait de peur. L'un des messagers commença à raconter au roi les manies qu'avait le paysan et combien il était fourbe car quoi qu'on lui demandât, il ne faisait rien pour personne avant d'être sérieusement étrillé. Le roi s'étonna :

« Quel drôle de médecin c'est là ! Jamais je n'ai entendu parler d'un tel homme.

— Puisqu'il en est ainsi, battons-le bien, dit un sergent. Je suis prêt : il suffit de m'en donner l'ordre et je lui réglerai son compte ! »

Le roi fit approcher le paysan et lui dit :

« Maître, prêtez-moi attention. Je vais faire venir ma fille qui a grand besoin d'être soignée. »

Le paysan lui demanda grâce :

« Sire, au nom de Dieu qui ne mentit jamais, et puisse-t-il me secourir, je vous certifie que je n'ai aucune connaissance en médecine. Jamais je n'en ai appris le moindre mot. »

Le roi s'écria :

« Vous me dites des sornettes. Battez-le-moi. »

Ses gens s'approchèrent et administrèrent une raclée au paysan avec grand plaisir. Quand celui-ci sentit les coups pleuvoir, il se tint pour fou.

« Grâce, leur cria-t-il, je vais la guérir sur-le-champ. »

La demoiselle, qui était pâle et avait perdu ses couleurs, se trouvait dans la salle. Le vilain se demanda comment il pourrait la guérir car il savait bien qu'il lui fallait ou la guérir ou mourir. Alors il commença à réfléchir que, s'il voulait la guérir et la sauver, il lui fallait trouver quelque chose à faire ou à dire qui puisse la faire rire afin que l'arête saute de sa gorge car elle n'était pas enfoncée plus avant dans son corps. Il dit au roi :

« Faites un feu dans cette chambre et laissez-nous.

Vous verrez bien ce que je ferai, et s'il plaît à Dieu, je la guérirai. »

Le roi ordonna de faire un grand feu. Valets et écuyers se précipitent et ils ont vite allumé un feu là où le roi l'avait commandé. La pucelle[1] s'assit près du feu, sur son siège que l'on avait placé là ; et le vilain se déshabilla tout nu, ôta ses culottes et se coucha le long du feu. Il se mit à se gratter et à s'étriller : il avait les ongles longs et le cuir dur. Jusqu'à Saumur il n'y a personne, si bon gratteur qu'on le croie, qui le soit autant que lui. La jeune fille, en voyant ce spectacle, veut rire malgré le mal qu'elle ressent ; elle s'efforce tant et si bien que l'arête lui vole hors de la bouche et tombe dans le feu. Le vilain, sans plus attendre, se rhabille, prend l'arête et sort de la chambre en faisant fête. Dès qu'il voit le roi, il lui crie :

« Sire, votre fille est guérie : voici l'arête, grâce à Dieu. »

Le roi en fut tout heureux et lui dit :

« Je veux que vous sachiez que je vous aime plus que quiconque. Vous aurez vêtements et robes.

— Merci, Sire, mais je n'en veux pas ; je ne veux pas rester avec vous. Il me faut rentrer chez moi. »

Le roi lui répliqua :

« Il n'en est pas question. Tu seras mon médecin et mon ami.

— Merci, Sire, au nom de saint Germain[2]. Mais chez moi il n'y a plus de pain. Quand j'en suis parti, hier matin, je devais aller en chercher au moulin. »

Le roi appela deux serviteurs :

« Battez-le-moi, il restera. »

Ces derniers bondissent sans hésiter et donnent une

---

1. *Pucelle* : désigne au Moyen Age une jeune fille en général.

2. Saint Germain est le saint des paysans car son nom évoque la germination du grain. Mais il est aussi réputé pour avoir accompli un grand nombre de miracles. Il est donc le saint qui convient ici au vilain, à la fois paysan et lui aussi auteur de miracles ! Les auditeurs des fabliaux, qui connaissaient « leurs saints par cœur », s'amusaient beaucoup de tous les jeux comiques que les jongleurs tiraient de l'utilisation des noms des saints.

raclée au paysan. Quand il sentit pleuvoir les coups sur ses bras, ses jambes et son dos, il commença à crier grâce :

« Je resterai. Laissez-moi en paix. »

Le paysan resta à la cour ; on le tondit, on le rasa et on lui fit revêtir une robe d'écarlate. Il se croyait tiré d'affaire lorsque les malades du pays, au nombre de quatre-vingts, à ce que je crois, vinrent voir le roi à l'occasion d'une fête et chacun lui conta son cas. Le roi appela le paysan et lui dit :

« Maître, au travail. Chargez-vous de ces gens et guérissez-les-moi sans tarder.

— Grâce, Sire, répliqua le paysan. Par Dieu, ils sont trop nombreux ; je ne pourrai en venir à bout ; il est impossible de les guérir tous ! »

Le roi appela deux valets qui prirent un gourdin car ils savaient bien pourquoi le roi les appelait. Quand le paysan les vit venir, son sang ne fit qu'un tour.

« Grâce, commença-t-il à crier. Je vais tous les guérir sans attendre ! »

Il demanda du bois et on lui en donna assez pour le satisfaire ; on fit du feu dans la salle et lui-même se mit à l'attiser. Il réunit alors les malades dans la salle et s'adressa au roi :

« Sire, vous sortirez avec tous ceux qui ne sont pas malades. »

Le roi le quitta courtoisement et sortit de la pièce avec ses gens. Le paysan s'adressa alors aux malades :

« Seigneurs, par ce Dieu qui me créa, ce n'est pas une mince affaire que de vous guérir et j'ai peur de ne pouvoir y arriver. Je vais choisir le plus malade et le mettre dans ce feu ; je le réduirai en cendres et tous les autres en retireront profit car ceux qui boiront cette cendre avec de l'eau seront guéris sur l'heure. »

Ils se regardèrent les uns les autres mais il n'y eut pas un bossu ou un enflé qui voulût admettre, même si on lui avait donné la Normandie, qu'il était le plus gravement atteint. Le paysan s'approcha du premier et lui dit :

« Je te vois bien faible : tu es le plus malade de tous.

— Grâce, Sire, je me sens beaucoup mieux que jamais je ne me suis senti. Je suis soulagé des maux bien cruels qui m'ont longtemps fait souffrir. Sachez que je ne vous mens pas.

— Alors qu'es-tu venu chercher ici ? Sors. »

Celui-ci s'empressa de prendre la porte. Le roi lui demanda au passage :

« Es-tu guéri ?

— Oui, Sire. Grâce à Dieu, je suis plus sain qu'une pomme. Votre médecin est un homme remarquable ! »

Que vous dirais-je de plus ? Il n'y avait personne, petit ou grand, qui, pour rien au monde, aurait accepté d'être jeté dans le feu. Et tous s'en allèrent comme s'ils avaient été complètement guéris. Quand le roi les vit ainsi, il en fut éperdu de joie et il demanda au paysan :

« Beau maître, je me demande bien comment vous avez pu faire pour les guérir aussi vite.

— Sire, je les ai enchantés. Je connais un charme qui est plus efficace que le gingembre ou le zédoaire[1]. »

Le roi lui dit alors :

« Maintenant, vous pourrez repartir chez vous quand vous le désirerez ; vous aurez de mes deniers et de bons chevaux, palefrois et destriers. Quand je vous appellerai, vous répondrez à mon appel. Vous serez mon ami le plus cher et tous les gens de la contrée vous en aimeront davantage. Ne faites plus le niais et n'obligez plus personne à vous battre car il est honteux de vous frapper.

— Merci, Sire, je suis votre homme à quelque heure que ce soit, et le serai aussi longtemps que je vivrai et je ne pense pas jamais le regretter. »

Il prit congé du roi et le quitta pour revenir tout joyeux chez lui. Jamais il n'y eut manant plus riche : il revint chez lui mais ne retourna plus à sa charrue

---

1. *Zédoaire* : plante aromatique de l'Inde orientale et de Malaisie, utilisée comme épice.

et ne battit plus sa femme ; au contraire, il l'aima tendrement. Tout se passa comme je vous l'ai conté : grâce à sa femme et à la malice qu'elle avait déployée, il devint un bon médecin sans jamais l'avoir appris.

C'est Molière qui, avec *Le Médecin malgré lui*, a assuré la notoriété de ce fabliau dont il s'est largement inspiré. Il comporte des thèmes, des motifs et des personnages traditionnels des fabliaux : relevons le thème de la mal-mariée et du couple disparate et comique paysan-femme issue de la noblesse ; le type du paysan rustre, grossier mais retors et finalement habile à se tirer d'un mauvais pas ; le comique des coups maintes fois répétés ; celui du retournement et de la vengeance ; le type de la femme rusée qui, comme celle des « Perdrix », sait trouver le moyen de se débarrasser d'un mari brutal en s'en vengeant selon la loi du talion... Tous les ressorts du comique dramatique sont utilisés et dès lors on comprend pourquoi de nombreux fabliaux ont été « adaptés » à la scène au XVe siècle. D'ailleurs, certains critiques voient dans les fabliaux des récits de farces jouées sur la place publique, et rapportés à un auditoire par un jongleur ayant assisté aux représentations.

Le tailleur du roi et son apprenti

Il y avait jadis un roi qui avait un excellent tailleur ; ce maître tailleur avait à son service une équipe d'employés qui cousaient ce qu'il taillait. Parmi ceux-ci se trouvait un jeune garçon tailleur, nommé Nidui, très habile dans son métier car il savait parfaitement coudre et tailler.

A l'approche d'une grande fête, le roi convoqua son tailleur et se fit tailler de très riches habits pour la célébrer fastueusement. Le maître tailleur rassembla son équipe et la mit activement à l'ouvrage. Pour accélérer le travail, le roi délégua son chambellan auprès des apprentis afin de leur fournir tout ce dont ils auraient besoin tout en leur évitant la possibilité de distraire à leur profit la moindre partie des fournitures. Un jour ils eurent pour leur repas du pain et du miel, et bien d'autres choses en abondance. Mais il se trouva qu'à ce moment-là Nidui était absent de l'assemblée. Le chambellan, qui s'en était aperçu, appela le maître tailleur et lui dit :

« Il serait juste que vous attendiez le retour de Nidui, votre garçon tailleur. »

Le maître tailleur, avec une finesse déguisée, répondit :

« Nous l'aurions bien volontiers attendu mais il ne mange pas de miel et il pourra bien manger autre chose à sa suffisance. »

Quand ils eurent tous mangé, Nidui arriva ; il entra dans une violente colère envers ses camarades de travail et leur adressa de vifs reproches :

« Pourquoi avez-vous déjeuné sans moi ? Il me

semble que la moindre des choses était de m'attendre ! »

Le chambellan lui répondit :

« C'est bien ce que je leur ai dit ; mais votre maître m'a affirmé — et j'ignore dans quelle intention il a agi ainsi — que vous ne mangiez pas de miel et que vous auriez bien assez du reste. »

Nidui ne pipa mot mais en son for intérieur il chercha la manière de rendre la monnaie de la pièce.

Un jour, il vint en grand secret trouver le chambellan et s'adressa à lui à mots couverts :

« Seigneur, lui dit-il, au nom de Dieu, je vous prie de m'écouter car il faut que vous soyez mis au courant d'une certaine chose : périodiquement, à chaque changement de lune, notre maître a des troubles mentaux ; il perd le sens et devient fou et si, alors, il n'est pas rapidement ligoté, toute personne qui croise son chemin risque de ne plus jamais pouvoir manger de pain ! »

Le chambellan répondit alors à Nidui :

« En vérité, si je pouvais prévoir précisément le début de ces crises, je le ferais si bien ligoter qu'il ne pourrait vous causer aucun dommage. »

Nidui répliqua alors :

« Je vais vous dire comment cela se passe, car j'ai déjà eu l'occasion d'assister à ses crises : quand il se mettra à regarder ici et là et à battre de la main l'espace autour de lui et quand il se relèvera brusquement en bousculant son escabeau, alors vous pourrez être assuré que c'est sa folie qui le prend et il n'en sortira pas avant d'être ligoté et battu. »

Le chambellan dit alors à Nidui :

« Je vais le surveiller du mieux que je le pourrai et quand je verrai les signes avant-coureurs de la crise que vous m'avez décrits, je le ferai ligoter et battre. Plaise à Dieu que, par suite de sa folie, personne d'entre nous ne perde la vie ! »

Nidui ne perdit pas de temps : il cacha les ciseaux de son maître. Un jour, ce dernier voulut couper une pièce d'étoffe mais il ne put mettre la main sur ses ciseaux ; il regarda ici et là et se releva brusquement en bousculant son escabeau pour chercher partout ses ciseaux. Il tapota du pied le sol tout autour de lui et se comporta comme quelqu'un qui aurait perdu la raison. Quand le chambellan le vit agir ainsi, il n'en fut point réjoui ; il appela aussitôt les apprentis et leur ordonna de ligoter leur maître. Ceux-ci lui obéirent : ils lièrent leur maître et le battirent jusqu'à en être complètement fourbus puis ils le délièrent. Quand il fut libéré, le maître tailleur demanda au chambellan pourquoi il l'avait fait attacher et aussi vilainement maltraiter.

« Nidui me l'a conseillé, répondit-il, en me faisant entendre que périodiquement, lors des changements de lune, vous aviez des accès de démence et que si l'on ne vous attachait solidement, l'un ou l'autre d'entre nous pourrait en subir les conséquences. »

Le maître tailleur appela Nidui :

« Depuis quand as-tu appris que j'avais périodiquement des accès de folie ? » lui demanda-t-il.

Et Nidui lui répliqua :

« Et vous, dites-moi donc aussi depuis quand je ne mange pas de miel ! »

Le chambellan et tous les apprentis, petits et grands, éclatèrent de rire et ce fut à juste titre, car celui qui trompe son compagnon mérite d'en recevoir la monnaie de sa pièce. Celui qui sème le mal récolte ce qu'il a semé.

Ce fabliau, présenté comme un *exemplum*, a été adapté en farce au xvᵉ siècle. Illustrant l'adage : « Il n'est si fort trompeur qui ne trouve son maître », il rapporte une vengeance qui n'est pas sans rappeler celle de la femme du « Paysan devenu médecin ». Son comique repose sur les coups mais aussi sur le fait que Nidui, pour se venger de son maître, le fait passer pour fou. Autre trait de mœurs prouvé par de nombreux textes (et notamment le roman d'*Amadas et Ydoine*), la folie faisait peur au xiiiᵉ siècle et les fous étaient des exclus que la populace prenait souvent plaisir à rouer de coups comme pour se protéger de l'atteinte du mal.

Les trois bossus

Seigneurs, si vous voulez vous arrêter et m'accorder quelque attention, je vous ferai, sans en oublier un seul mot et tout en vers, le récit d'une aventure.

Elle se passa jadis dans un bourg dont j'ai oublié le nom mais qui aurait pu être Douai. Vivait là un bourgeois qui avait un bon train de vie. C'était un bel homme, entouré d'amis, sans doute le bourgeois le plus vertueux et le plus accueillant de la ville. Il n'avait pas une grande fortune mais il aurait pu trouver tout l'argent qu'il aurait voulu car tout le monde lui aurait fait crédit. Il avait une fille de toute beauté, si belle que c'était un plaisir de la contempler et, aussi vrai que je vous parle, je ne pense pas que Nature ait jamais donné naissance à une plus belle créature. Mais je ne vais pas m'attarder plus longtemps à peindre sa beauté car si je voulais m'y essayer, je serais vite impuissant à le faire et il vaut mieux se taire que de rapporter des choses inexactes.

Dans la ville demeurait un bossu : jamais je n'en vis d'aussi difforme. Il avait une grosse tête et je crois que ce n'est pas sans une intention secrète que Nature l'avait ainsi fait. En tout il était contrefait : il était particulièrement laid : il avait une grosse tête qui ressemblait à une hure de sanglier, un cou court, des épaules larges qui remontaient vers le haut. Ce serait folie que de vouloir le décrire entièrement : il était vraiment trop laid. Toute sa vie il ne se préoccupa que d'amasser des richesses. Et je peux vous affirmer, si toutefois on peut ajouter foi à l'histoire, qu'il était immensément riche. Il n'y avait personne d'aussi riche que lui dans la ville. Que vous dirais-je de plus ? Vous savez tout du bossu et de son comportement.

A cause de la fortune qu'il avait amassée, ses amis lui ont donné la jeune fille qui était si belle. Mais dès qu'il l'eut épousée, il commença à se tourmenter à cause de sa grande beauté. Le bossu devint si jaloux qu'il n'avait plus un seul jour de repos. Il gardait constamment closes les portes de son logis, et en refusait l'entrée à quiconque ne venant pas pour apporter de l'argent ou pour en emprunter. Il passait son temps assis sur le seuil !

Il arriva ainsi que pour un Noël, trois menestrels[1] bossus vinrent à passer et lui adressèrent la parole. Ils lui dirent qu'ils voulaient passer cette fête de Noël avec lui car il n'y avait en la ville aucun endroit où ils pussent mieux la célébrer puisqu'il était de leur confrérie[2], bossu comme eux. Alors le maître de céans les fit monter à l'étage car sa maison avait des escaliers. Le repas était prêt : ils se mirent tous à table. Le dîner était fin et copieux : le bossu ne se montra pas chiche ; il traita fort bien ses compagnons. Ils eurent des pois au lard et des volailles et, quand le dîner fut terminé, le bossu fit donner à chacun de ses trois invités vingt sous frappés à Paris. Mais après il leur défendit de jamais revenir se montrer devant la maison ou dans le jardin car s'ils y étaient pris, ils prendraient un bain forcé dans l'eau glacée du canal. La maison donnait sur une rivière large et profonde. Quand les bossus eurent entendu ces propos, ils quittèrent bien vite la maison, quand même fort joyeux car ils avaient l'impression d'avoir bien rempli leur journée. Et le mari s'en alla de son côté en traversant le pont.

La dame, qui avait entendu les bossus chanter et s'amuser, les fit rappeler tous les trois car elle voulait entendre leurs chants. Elle prit soin de bien fermer les

1. Chanteurs et musiciens ambulants.
2. Association regroupant des gens de même profession. L'utilisation du mot est ici ironique.

portes. Mais tandis que les bossus chantaient et se
divertissaient avec la dame, voici que revint le maître
des lieux qui n'avait pas été long. Devant la porte, il
appelle en forçant la voix. La dame l'entend et le
reconnaît à sa voix. Elle n'a aucune idée de la manière
dont elle peut faire disparaître les bossus ou les cacher.
Près du foyer se trouvait un châlit[1] qu'on avait
l'habitude d'y faire transporter ; sur le châlit se trouvaient trois grands coffres. Que vous dirais-je de plus ?
Pour finir, la dame a fait entrer dans chacun un bossu.
Le mari entra et s'assit près de la dame dont la
compagnie lui plaisait fort. Il n'y resta pas très longtemps ; il se releva, sortit de la pièce, descendit les
escaliers et de nouveau partit de la maison.

La dame n'eut point de regrets quand elle vit partir
son mari. Elle se précipita pour faire sortir les bossus
qu'elle avait cachés dans les coffres. Mais lorsqu'elle
ouvrit les coffres, elle les trouva tous les trois morts,
étouffés. Elle fut fort affectée de les trouver morts ;
elle courut à la porte, appela un porteur qui passait là
et le fit venir à elle. Quand le garçon l'entendit, il vint
la trouver en courant.

« Ami, lui dit-elle, écoute-moi. Si tu veux me
promettre de ne jamais rien dévoiler de ce que je vais
te révéler, tu auras une riche récompense. Tu recevras
trente livres en bons deniers[2] quand tu auras fait ce
que je vais te demander. »

Quand le porteur entendit ce discours, il promit
volontiers car il avait fort envie de l'argent et était
résolu à tout. Il monta les escaliers quatre à quatre.
La dame ouvrit l'un des coffres et lui dit :

« Ami, ne soyez pas effrayé. Allez me jeter ce mort
dans la rivière et ainsi vous m'aurez bien rendu
service. »

Elle lui donna un sac ; il le prit et y fit rapidement

1. Cadre de lit, sorte de civière en bois, de châssis sur lequel on
pouvait, comme ici, placer des coffres. Et au Moyen Age il arrivait
que l'on dorme dans les coffres.
2. Voir tableau p. 65.

entrer le bossu puis il le mit sur son épaule et dévala
les escaliers. Il vint en courant à la rivière, emprunta
le grand pont et jeta le bossu dans l'eau. Et, sans plus
attendre, il revint vers la maison.

La dame a tiré à grand-peine du châlit le deuxième
des bossus ; elle en est tout essoufflée car il lui a fallu
faire beaucoup d'efforts pour le lever. Après quoi elle
s'est retirée à l'écart. C'est à ce moment-là que le
porteur arriva en coup de vent :

« Dame, dit-il, payez-moi car je vous ai bien débarrassée du nain.

— Pourquoi vous êtes-vous ainsi moqué de moi,
méchant drôle ? lui répondit-elle. Le nain est revenu
ici. Vous ne l'avez pas jeté dans l'eau ; vous l'avez
ramené avec vous. Si vous ne voulez pas me croire,
regardez-le là !

— Par tous les diables de l'enfer, comment a-t-il
fait pour revenir ici ? J'en suis ébahi. Il était pourtant
bien mort, du moins je le pense. C'est un diable
antéchrist ! Mais cela ne lui servira à rien, par saint
Rémi[1] ! »

Alors il saisit le deuxième bossu, le mit dans un
sac, le jeta sur son épaule sans effort apparent et sortit
rapidement de la maison. Et la dame, tout aussitôt,
retira du coffre le troisième bossu et l'allongea près du
feu ; puis elle vint se poster près de la porte.

Le porteur jeta le bossu dans l'eau, la tête la
première.

« Allez, dit-il et soyez maudit si vous revenez de
nouveau ! »

Puis il revint à toute allure et demanda à la dame
de le payer. Celle-ci, sans dire un mot de plus, lui
promit de le payer et l'entraîna vers le foyer, comme
si elle ne savait rien du troisième bossu qui reposait
là.

---

1. L'invocation de saint Rémi est ici comique car, ainsi que le
rapporte *La Légende dorée*, la dépouille mortelle de ce saint fut par
trois fois déplacée miraculeusement. Légende qui correspond parfaitement avec la vision que le porteur a ici de la situation.

« Voilà, dit-elle, une chose stupéfiante ! A-t-on jamais vu la pareille ? Regardez : le bossu est revenu ! »

Le garçon n'eut pas envie de rire quand il le vit couché près du feu !

« Corbleu ! fait-il. A-t-on jamais vu pareil ménestrel ! Je n'arrêterai donc pas aujourd'hui de porter ce vilain bossu ! Je le retrouve chaque fois ici alors que je viens à peine de le jeter à l'eau ! »

Alors il met le troisième bossu dans son sac et le jette violemment sur son épaule. Il en ruisselle de colère et de fatigue. Tout furieux, il dévale les escaliers, décharge le troisième bossu et le balance dans l'eau.

« Va-t'en, diable vivant ! fait-il. Je t'aurai suffisamment porté aujourd'hui. Mais si je te vois encore revenir, il sera trop tard pour t'en repentir ! Je pense que tu m'as ensorcelé. Mais, par le Dieu qui me fit naître, si tu reviens encore après moi et si je trouve un gourdin ou un épieu, je t'en donnerai un tel coup sur le crâne que tu en auras une marque sanglante ! »

Sur ces mots, il revint à la maison et commença à monter les escaliers. Mais avant même qu'il fût arrivé en haut, il vit, en regardant derrière lui, le mari qui revenait. Le garçon ne prend pas cela pour un jeu. Par trois fois, il fait le signe de la croix.

« *Nomini*[1], Seigneur Dieu, aidez-moi ! »

Il a le cœur empli de trouble.

« Par ma foi, fait-il, il est bien enragé, celui qui me suit sur les talons si près qu'il s'en faut de peu qu'il ne se trouve au coude à coude avec moi ! Par le bouclier de saint Morand, il me prend pour un simple d'esprit, car je ne l'ai pas aussitôt transporté qu'il s'amuse à revenir sur mes talons ! »

Alors il court saisir à deux mains un pilon qu'il voit pendu près de la porte et il revient à toute allure vers l'escalier que le mari avait commencé à gravir.

« Ah ! Vous revenez, sire bossu ! Vous êtes bien entêté ! Mais, par sainte Marie, c'est pour votre mal-

---

1. C'est le début de l'invocation « *Au nom* du Père... ».

heur que vous êtes revenu ; vous me prenez un peu trop pour un niais ! »

Il lève le pilon et lui en assène un tel coup sur la tête qu'il avait énorme, qu'il lui fait jaillir la cervelle et l'abat mort dans l'escalier. Puis il le met dans un sac qu'il attache avec une corde, se remet en route en courant et va le jeter dans l'eau avec le sac bien fermé, car il avait grand-peur qu'il ne continue à le suivre.

« Va au diable ! dit-il. Maintenant je suis bien sûr que tu ne reviendras pas avant que les bois retrouvent leurs feuilles ! »

Il revint chez la dame et lui demanda de le payer, car il avait bien accompli ses ordres. Celle-ci n'avait cure de le contester ; elle paya au garçon ses trente livres intégralement. Et elle le paya de grand cœur, car elle était fort contente du marché. Elle lui dit qu'il avait fait de la bonne besogne en la délivrant ainsi d'un mari aussi laid. Elle pensait que jamais plus, tout au long de sa vie, elle n'aurait d'ennuis puisqu'elle était débarrassée de son mari.

Durand, qui finit ainsi son histoire, ajoute que jamais Dieu n'a créé une fille qu'on ne puisse avoir pour de l'argent. Et pourtant jamais Dieu ne fit de joyaux, si beaux et si chers soient-ils, qu'on ne puisse avoir pour de l'argent. C'est grâce à ses deniers que le bossu épousa la dame qui était si belle. Maudit soit celui, quel qu'il soit, qui s'attache trop à l'argent, et maudit celui qui l'inventa.

Avec ce fabliau nous entrons dans le comique macabre. Mais rappelons que les infirmités et les disgrâces sont, au XIIIe siècle, considérées comme la manifestation physique de tares morales. Les bossus n'échappent pas à la règle : ils sont des suppôts de Satan. Aussi n'éprouvait-on pour eux aucune pitié, surtout lorsque, comme c'est ici le cas du mari, ils se révélaient cupides et jaloux. La belle jeune femme achetée en mariage est donc par avance excusée à cause de sa beauté, symbole de pureté et de vertu. D'ailleurs elle n'a pas prémédité l'action et encore moins le meurtre de son mari qui apparaît comme une justice du sort. Le comique de cette histoire, dont on trouve des antécédents dans la littérature orientale, repose donc sur la triple reprise d'une même action, sur le fait que le porteur puisse croire que le cadavre est revenu à la vie pour se moquer de lui et surtout sur le fait que sa colère et le hasard lui fassent assimiler le mari au bossu dont il vient — du moins le croit-il — par trois fois de se débarrasser. Confusion de personnes reposant sur une identité d'infirmité !

Le prêtre

Seigneurs, je n'ai pas envie de raconter des mensonges ; je vais plutôt vous rapporter une aventure qui s'est déroulée récemment.

Un bourgeois de bonne famille habitait dans une belle ville ; il avait une femme telle que parmi cent mille on n'en aurait pas trouvé de plus avenante, de plus courtoise, de plus estimable, de plus sage et de mieux éduquée. Elle se rendait volontiers à l'église. Son mari, qui était encore un jeune homme, adorait les chiens et les oiseaux de chasse, le jeu de trictrac et les échecs ; et il dépensait de grosses sommes d'argent car il aimait tenir table ouverte et faire la fête tous les jours. Il fit tant qu'il fut contraint malgré lui de vendre ses biens et qu'il ne lui resta plus rien à dilapider excepté le produit de la vente de sa propre maison. Mais il aurait préféré aller en prison plutôt que de vendre sa maison.

Un jour, la dame vint écouter une messe dans une abbaye pour implorer l'aide de Dieu. Et je vous précise, ce n'est pas un mensonge, qu'entre l'abbaye et la ville, courait une rivière de taille moyenne que n'empruntait aucun bateau. Je ne vous en dirai pas plus à ce sujet.

La dame s'était assise dans l'église ; en femme bien éduquée, elle s'était mise dans l'un des coins de la nef. Mains jointes et les yeux en larmes, elle était agenouillée devant la croix, un missel à la main. Arriva alors le sacristain[1] qui se mit à fixer la dame. Quand il vit qu'elle pleurait, il se dirigea vers elle et lui adressa gentiment la parole :

« Que ce Dieu qui créa le Ciel et la Terre vous apporte la paix et le réconfort, ma gentille dame ! J'aimerais beaucoup savoir pourquoi vous pleurez aussi fort.

— Ah ! Sire, je n'ai pas tort de pleurer ; si je pleure, c'est à juste titre : j'ai un mari qui dépenserait un royaume s'il en avait un. Il a tant fait que nous sommes sur la paille. »

Le sacristain la voit si belle qu'il en a un picotement au cœur qui le fait changer de couleur. Il vient d'entrer dans un égarement dont il ne sortira pas sans dommage.

« Dame, fit-il, au nom de saint Léger, si vous voulez m'accorder votre amour, je vous donnerai tant de ce que je possède qu'il y en aura pour plus de cent livres[2]. Sachez que je ne suis pas ivre, mais j'éprouve pour vous une grande passion.

— J'aimerais mieux que la mort m'emporte ou que les pires douleurs me prennent plutôt que de consentir à cette folie, répondit la dame. Je pense que vous avez perdu l'esprit pour me proposer de telles choses ! Et pourtant je vais y réfléchir ce soir et je vous dirai le résultat de mes réflexions. »

Quand le sacristain entendit cette réponse, il en ressentit une telle joie qu'il en tendit ses mains jointes vers Dieu. Leur discussion s'arrêta là.

La dame revint chez elle où son mari l'interpella en ces termes :

« Dame, mettons-nous à table.

— Sire, au nom de Dieu, avant écoutez ce qui m'arrive : le sacristain veut que je lui accorde mes

---

1. Peut-être par suite d'une confusion de texte (car il nous reste quatre versions de ce fabliau qui eut, en son temps, un énorme succès), le prêtre est ici appelé *sacristain*. Il est chargé de l'église de la ville.

2. Voir tableau p. 65.

faveurs et que je devienne sa maîtresse et il dit qu'à cette occasion il me donnera cent livres en cadeau.

— Dame, c'est là une chose bien trop amorale et honteuse. Plaise à Dieu qu'elle ne se réalise pas !

— Sire, votre réponse me comble d'aise, répondit la dame. Dieu en soit loué.

— Maintenant, dame, si cela vous agrée, essayons comme Renart[1] d'aiguiser notre sens de la ruse et ainsi nous aurons l'argent. Si vous voulez m'être agréable, vous irez dès demain à l'église et vous direz au sacristain de revenir rapidement avec vous à la maison en prenant avec lui une somme rondelette car vous vous plierez à tous ses désirs. Mais n'ayez aucune crainte à ce propos car il ne portera pas la main sur vous.

— Sire, je ferai comme vous le désirez mais prenez garde à ne pas le tuer car ce serait là une faute et un péché. »

Alors ils laissent là leur discussion jusqu'au lendemain matin où la dame se leva aux premières lueurs du jour. Elle alla à l'église en prenant soin de se vêtir avec recherche et avec goût. Quand le moine la vit arriver, il en ressentit une joie immense au tréfonds de son cœur. Peu s'en fallut qu'il ne courût la couvrir de baisers. Il en est tout retourné et il ne sait que faire car l'église est pleine de monde. Il se dépêcha de faire chanter la messe afin que tout le monde s'en aille. Il ne se souciait guère de Dieu et des saints. Il se hâta de revêtir son chaperon et, le tirant sur son visage, il se rapprocha de la dame comme un lévrier qui chasse un lièvre. Quand il vit que l'église était vide et que les fidèles étaient partis, il salua la dame et elle lui rendit son salut, ce qui le remplit d'aise et lui fit ressentir une grande joie au fond du cœur. Il lui dit alors :

« Douce dame, dites-moi ce que vous avez décidé à mon égard.

— Sire moine, au nom du respect que je vous dois, je vous promets de faire toute votre volonté. Venez

1. Allusion au *Roman de Renart*.

avec moi et n'ayez aucune crainte, mon mari n'est pas à la maison. Mais auparavant je veux vous rappeler une chose importante : j'insiste pour que vous ne veniez pas sans l'argent car vous feriez là une grande bêtise.

— Ma douce amie, lui répondit-il, par mon ordre de saint Vincent, il y aura plus de cent livres. »

Alors ils arrêtent là leurs propos et le moine, qui était fort impatient, fit le tour de l'église, renversant les troncs[1] et mettant dans sa poche tout ce qu'il y trouvait. Puis il alla vers une arche[2] et l'ouvrit : elle était pleine de deniers[3]. Que dirais-je de plus ? Il en remplit une ceinture et sachez bien qu'il y mit beaucoup plus qu'il ne l'avait promis. Puis il se mit en route sans plus attendre. Pendant ce temps la dame avait fait à son mari le récit de ce qui s'était passé et elle lui avait rappelé ce qu'il devait faire :

« Par Dieu, sire, le sacristain arrive mais je tiens à vous rappeler une chose : au nom de Dieu, prenez garde à ne pas le tuer ! »

Le bourgeois ne perdit pas de temps : il entra dans sa chambre par une petite porte, armé d'un énorme gourdin. Le lit était grand et large ; il se dissimula dans un recoin entre le lit et le mur.

Le moine ne se fit guère attendre ; il arriva en peu de temps car il avait tellement hâte de parvenir à ses fins qu'il n'avait ni honte ni retenue. Quand il vit la dame, il la prit par la main et lui donna la ceinture pleine d'argent.

« Dame, fit-il, Dieu me confonde si je mens, elle contient plus que je vous avais promis. Allons dans votre chambre. »

Ils sont entrés dans la chambre.

« Dame, je suis tout vôtre. »

Il l'a allongée sur le lit et s'approche d'elle. Il était

1. Petites boîtes où les fidèles déposent leurs offrandes, dans les églises.
2. Sorte de coffre en bois.
3. Voir tableau p. 65.

sur le point d'abuser d'elle quand le bourgeois bondit de sa cachette, tenant son gourdin à deux mains et criant :

« Sur ma tête, sacristain, vous êtes venu chercher ce que vous allez trouver ! »

Mais le moine saute sur lui, le saisit par les cheveux et lui donne un tel coup sur la tête que le bourgeois croit sa dernière heure venue. Il réussit cependant à se dégager et passe à son tour à l'attaque car il était ivre de colère et de dépit : il lève à deux mains son gourdin et en assène un tel coup au moine, en plein sur la tête, qu'il lui fait éclater la calotte crânienne et que le cerveau en jaillit. Le moine tomba raide mort.

Quand la dame vit ce qui était arrivé, elle se mit à pleurer mais elle se retint de crier. A voix basse, elle se lamenta :

« Hélas ! malheureuse que je suis ! C'est un bien grand péché que d'être encore vivante et que mon âme habite encore mon corps car c'est par ma faute que ce moine est mort. Désormais je suis vouée à la honte à tout jamais !

— Dame, ne craignez rien, fit son mari, car jamais on ne vous le reprochera. Mais prenons soin de bien fermer la chambre. »

Et tout en resta là.

Maintenant, écoutez ce que fit le bourgeois. Avec beaucoup de prudence et d'astuce, il attendit que tout le monde fût couché et endormi dans la ville. Il imagina une ruse telle que jamais homme n'en pensa de semblable. Il chargea le moine sur son dos et s'en vint sans faire de bruit jusqu'à l'abbaye. Il se garda bien de réveiller le portier.

Il se dirigea vers les toilettes qui étaient des cabines fermées installées au-dessus de l'eau de la rivière. Il entra dans l'une d'entre elles et assit le moine sur la cuvette, puis il prit une poignée de foin et la lui mit dans la main ; il l'appuya bien contre une cloison et le revêtit de son capuchon. Puis il abandonna le sacristain dans cette position et revint à son logis où il déclara à sa femme :

« Dame, calmez-vous, nous sommes sauvés, ne pleurez plus. Personne ne pourra savoir ce qui s'est passé. Couchons-nous, c'est ce que nous avons de mieux à faire ! »

Alors tous les deux vont au lit. Quant au sacristain, ce me semble, il ne lui est guère possible de bouger ou de tomber. Mais le prieur, qui avait mal au ventre, dut malgré lui se rendre aux toilettes. Il alla droit à la cabine où le sacristain était assis. Le prieur crut qu'il était vivant et qu'il s'était assis là pour ses besoins. Il resta un bon moment sans bouger, un cierge à la main. Puis il reconnut le sacristain et crut qu'il s'était endormi : il fit alors ce qu'il devait faire :

« Vous, qui dormez ici comme une souche, retournez dans votre lit ! »

Mais celui-ci ne répondit pas. Le prieur pensa alors le secouer d'une petite bourrade. Et le sacristain s'écroula sur le bas de la pile de la porte de sorte que sa tête vint la heurter de plein fouet, mais pas un mot ne sortit de sa bouche. Le prieur s'empressa de le relever et vit qu'il avait le front ouvert et qu'il ne bougeait ni pied ni main :

« Mon Dieu ! J'ai tué le sacristain ! Le péché ne m'en sera jamais pardonné ! Beau doux frère, voulez-vous le *corpus domini*[1] ? Je vous en prie parlez-moi. »

Ce dernier ne répondit évidemment pas un mot.

« Dieu ! Comme je suis souillé par le péché ! Maintenant je suis coupable de meurtre. Hélas ! Que ferai-je si on l'apprend ? Tous mes compagnons ont vu que nous nous étions emportés l'un contre l'autre hier matin : maintenant si je suis pris sur le fait, jamais plus je ne chanterai la messe ! Pourtant, au nom de la volonté divine, je n'y renoncerai pas. Je pense que je m'en sortirai : on va bien voir si je peux y arriver ! »

Il chargea le cadavre du moine sur son dos — cette nuit n'a pas fini de nous réserver des surprises — et retraversa la rivière car il avait dans l'idée de le laisser

---

1. Mot à mot : le corps du Maître. C'est-à-dire l'hostie consacrée que l'on donne aux mourants pour leur dernière communion.

à la porte de celle qu'il savait être la plus belle et la plus courtoise et c'était justement cette bourgeoise pour laquelle le sacristain était mort. Il déposa le corps et l'appuya contre la porte puis il s'en retourna triste et morne. Il arriva à l'abbaye et se coucha tout nu dans son lit.

Le bourgeois était étendu sur son lit ; il tremblait de tous ses membres. Un cauchemar le réveilla. Il appela sa femme et lui dit :

« Dame, donnez-moi ma chemise, je vais sortir un peu dans la rue. Je ne sais ce que j'ai... comme des palpitations. Je vais sortir un peu prendre l'air.

— Sire, que Dieu, dans sa grande bonté, vous préserve », répondit la dame.

Le bourgeois, qui se sentait mal à l'aise, se leva et ouvrit la porte. Mais avant qu'il l'eût complètement ouverte, le moine s'écroula à ses pieds.

« Dame, au secours, au secours ! » s'écria-t-il.

Quand la dame entendit son mari, elle accourut, le cœur serré, et lui demanda :

« Sire, avez-vous un malaise ?

— Oui, dame : le moine est revenu ici. Voyez-le : j'ai été à deux doigts d'en perdre l'esprit ! Dieu me vienne en aide, je crois qu'il est venu rechercher son argent. Mais s'il était enfoui en terre, je pense qu'il n'en ressortirait pas. Autrement, nous n'en serons jamais débarrassés. Aidez-moi, je vais l'emmener : je sais où l'enterrer. »

Il chargea le moine sur son dos et se dirigea vers un grand tas de fumier, de détritus et de vieille paille : c'est là qu'il avait l'intention d'enterrer le sacristain. Or il y avait dans ce tas de fumier un jambon que trois voleurs avaient dérobé et qu'ils avaient caché là. Le bourgeois a tant creusé dans le tas de fumier qu'il est arrivé jusqu'au jambon : peu s'en fallut qu'il en devînt fou ; il pensa que c'était un diable qui voulait lui faire perdre l'esprit. Il fut tout ébahi quand il s'aperçut que c'était un jambon. A grand-peine, il le retira de là et enfouit le moine à la place. Puis il chargea le jambon sur son épaule et revint retrouver sa femme qui lui demanda :

« Mais, mon bon ami, pourquoi ne l'avez-vous pas enterré ? Pourquoi le ramenez-vous ?

— Dame, par l'amour que je vous porte, c'est un magnifique jambon, gros et gras ; nous aurons de quoi manger pendant deux ans ! »

Mais laissons le bourgeois et son épouse et parlons des trois voleurs qui étaient en train de veiller dans une taverne, en proie à une grande détresse.

« Par ma foi, dit l'un, je meurs de faim et demain ce sera vendredi, le jour où personne n'ose manger de viande : il serait grand temps de se restaurer d'une bonne grillade. Nous avons de la bonne viande salée qui nous attend ! »

Les voleurs se mirent donc d'accord pour que deux d'entre eux aillent chercher le jambon pendant que le troisième resterait à la taverne.

« Tavernier, fit ce dernier, je reste ici pour me porter caution pendant que ces deux-là iront chercher des victuailles : soyez assuré qu'ils reviendront sans tarder ! »

Après avoir obtenu l'accord du tavernier, les deux voleurs désignés s'en allèrent vers le tas de fumier. Ils commencèrent à le déplacer et à creuser la terre pour chercher leur jambon. Ils firent tant et si bien qu'ils arrivèrent jusqu'au moine. Quand ils virent le froc[1], tous les deux se sont grandement étonnés. Celui qui était au fond du trou se mit à fixer les pieds. Celui qui était resté au bord du trou lui demanda :

« Qu'est-ce que tu attends ? De quoi as-tu peur ? »

Et le premier lui répondit :

« Notre jambon a des bottes et des bras, des mains, des jambes !

— Mordieu, tu te moques !

— Ah ! Compagnon, ce n'est pas une plaisanterie :

---

1. Robe du moine. Voir l'expression : moine *défroqué*, qui a jeté le *froc* aux orties.

en guise de jambon nous avons là un grand diable hideux et contrefait[1] !

— Par Dieu, voilà une effroyable mésaventure ! Dis-moi ce que nous allons en faire.

— Par saint Hilaire[2], je vais te le dire, fit l'autre, et je vais m'y employer ; je propose que nous allions le pendre là où nous avons volé le jambon au début de la nuit. Et demain tu en entendras parler car le vilain en sera accusé et jeté en prison. »

Les deux voleurs se mirent d'accord et, le plus rapidement possible, ils emportèrent le moine jusqu'à la maison où ils avaient volé le jambon. Là ils le pendirent par le cou à un crochet, le rendant ainsi au vilain, puis ils revinrent à la taverne sans se faire remarquer. Quand leur compagnon les vit revenir, il leur demanda pourquoi ils ne rapportaient pas de grillades.

« Tu nous poses une question absurde : notre jambon s'est transformé en un moine tout habillé et tout chaussé !

— Et alors qu'en avez-vous fait ?

— Demain tu en entendras des nouvelles, car nous l'avons rependu là où nous l'avions pris. »

Je vous ai dit la vérité au sujet de ces trois voleurs. Le vilain reposait au lit, près de sa femme :

« Dame, lui dit-il, aujourd'hui j'irai à un marché qui est tout près d'ici : je vois tous mes voisins durs au gain et acharnés à chercher leur profit ; il me faut faire comme eux.

— En vérité, sire, vous avez raison. Je vais vous dire une bonne chose et, si vous voulez, vous suivrez mes conseils : auparavant vous déjeunerez.

— Dites-moi donc ce que je vais manger, car cela me fera faire des économies au marché.

— Sire, vous êtes un mauvais plaisantin : n'avez-vous pas un jambon ? Coupez-en de bonnes tranches.

1. Difforme.
2. Saint Hilaire est réputé pour sa perspicacité et son éloquence. Ici le voleur en a bien besoin !

— Entendu. Et nous les mangerons chaudes et bien cuites », fit le vilain.

Sur ces bonnes paroles, ils se levèrent tous les deux : la femme, en bonne ménagère, raviva le feu et le vilain prit son échelle. Il l'appuya à une poutre et y monta en tenant son couteau à la main car il voulait sans faute attaquer le jambon. Mais quand il vit pendre des jambes qui étaient loin d'être maigres et qu'il aperçut le froc du moine, il s'écria :

« Dieu et saint Antoine, au secours ! Ah ! Femme, ce n'est pas une plaisanterie ! En guise de jambon, nous avons un grand diable hideux et contrefait ! Par Dieu voilà une méchante histoire ! »

Alors il trancha la corde qui retenait le sacristain et le fit choir à terre. Il le regarda tant et si bien qu'il le reconnut :

« Ah ! Femme, dit le vilain, je crois que c'est le sacristain. »

Quand la femme entendit cette nouvelle, elle n'en fut pas réjouie ; elle fit triste mine :

« Que vais-je faire, malheureuse que je suis ? Je sais qu'à coup sûr demain je serai brûlée sur le bûcher et vous pendu, mon pauvre mari. Demain tout le monde dira que vous l'avez surpris au lit avec moi !

— Femme, ne te lamente plus ! Je vais vite me débrouiller pour t'éviter un tel blâme. La jument blanche du chapelain est là dehors avec un poulain. Il n'est pas encore totalement dressé ; nous monterons le moine sur son dos en l'attachant bien avec une cordelette et nous lui mettrons une vieille selle que nous avons là.

— Sire, au nom de Dieu, faites vite car c'est là une bonne idée ! »

Alors le vilain attrapa le poulain et lui mit la selle ; ils attachèrent le moine sur son dos de sorte qu'il ne puisse se balancer de-çà de-là. Puis le vilain prit une vieille lance et la lui glissa sous le bras de manière à ce qu'elle tienne bien et il lui mit au cou un vieil écu[1]

_____
1. Bouclier.

tout cabossé et tout décoloré. Et d'un coup de badine, il expulsa le poulain et son cavalier de la maison. Le poulain se mit à bondir en tout sens, de manière désordonnée, et à ruer de sorte que personne ne pouvait l'arrêter. Le jour commençait à poindre et les gens de la ville à s'éveiller, et la population dépassait les vingt mille âmes. Tous s'étonnent de voir arriver le moine au milieu d'un tel vacarme :

« Fermez les portes ! Fermez ! Fermez vite ! Voilà un moine qui arrive armé de pied en cap ! »

Tous se moquent de lui et le huent.

Un vilain alla dire à l'abbé :

« Sire, c'est le sacristain que l'on hue comme un fou et qui vient droit ici. Il a un écu au cou et porte une longue et forte lance. Il en veut à mort à je ne sais qui. »

Quand le prieur l'entendit ainsi parler, il se dit que le sacristain venait pour le tuer.

« Mais je ne resterai pas là à l'attendre ! »

Alors il se mit à courir vers l'abbaye et se cacha derrière le maître-autel. Il rabattit son capuchon sur ses yeux et se mit à genoux, mains jointes. Sachez que le sacristain était encore sur le poulain. Mais, à cause du vacarme que faisaient les gens, et qui l'effrayait, ce dernier se mit à galoper à bride abattue vers l'église. Or, comme la porte d'entrée était très basse, au moment où le poulain la franchit à vive allure, le cavalier heurta le linteau[1] de la tête de plein fouet. La cordelette qui le retenait se rompit et il tomba à la renverse, jambes écartées. Aussitôt tous les moines accoururent et l'entourèrent. Ils virent le capuchon tout sanglant et le sacristain plus froid que de la glace. Quand ils virent qu'il était mort, tous laissèrent éclater leur douleur. L'abbé enterra le corps mais, avant qu'il ne fût enterré, tout le monde le plaignit et le regretta.

C'est ainsi, comme nous le rapporte le conte, que le

---

1. Pièce de bois ou de pierre horizontale qui forme la partie supérieure d'une ouverture et qui maintient la maçonnerie.

bourgeois eut les cent livres et le jambon en sa possession. Ainsi se termine le « Fabliau du moine ».

Autre exemple ici de comique lié au macabre puisqu'il s'agit pour un meurtrier de se débarrasser du cadavre de sa victime qui devient ainsi le personnage principal du récit. Signalons tout de suite que, conformément à la « morale » du fabliau, la victime n'a fait que subir le juste châtiment de ses fautes : il s'agit en effet d'un prêtre dévoyé qui a tenté de séduire, en lui proposant de l'argent, une femme vertueuse. Et dans de tels cas, le fabliau n'est pas tendre pour le fautif ! Tout le comique repose sur les transferts successifs, organisés selon une savante cascade qui accentue l'absurdité des situations, de ce cadavre qui semble animé mécaniquement et qui, chaque fois, revient à son point de départ comme un revenant voulant dénoncer son assassin. On retrouve là de grandes ressemblances avec « Les trois bossus ». Mais ce qui accentue le comique, c'est que les situations sont chaque fois différentes et qu'elles touchent de tierces personnes (le prieur du couvent ; les voleurs, la population de la ville) qui sont entraînées malgré elles à entrer dans cette action absurde. Ajoutons que les rebondissements de l'action transforment le cadavre en une sorte de balle et font passer au second plan sa nature même. On atteint ici un des buts du rire qui est de libérer des angoisses profondes. Le cadavre est lié à l'impur et à l'idée de la mort ; il rappelle à l'homme son destin et cela seul explique que la peur du cadavre soit répandue chez l'homme de manière presque universelle (en témoignent les rites de purification vis-à-vis de la mort dans les sociétés primitives). Transformer le cadavre en objet, en une sorte de balle, c'est le désacraliser et, du même coup, combattre l'angoisse qu'il suscite.

APPENDICE :

(Contes en vers du XVe siècle inspirés des fabliaux)

Le repas de Villon et de ses compagnons[1]

« Celui qui n'a ni or ni argent ni appointements
Comment peut-il faire bonne chère ?
Il lui faut vivre d'expédients[2]
C'est la façon habituelle.
Si seulement nous pouvions trouver le moyen
De berner quelqu'un pour pouvoir faire un bon repas...
Celui qui y réussira sera le plus fort. »
Ainsi devisaient les compagnons
Du bon maître François Villon
Qui n'avaient pas un sou en poche
Ni toit pour s'abriter ni natte pour dormir.
Il leur répondit : « Ne nous tracassons pas
Car aujourd'hui même, sans nul défaut,
Vous aurez du pain, du vin et des provisions à foison
Et aussi du rôti tout chaud. »

1. Il s'est peu à peu constitué autour de la figure du poète bien connu, auteur du *Testament*, tout un mythe. Très vite, dans l'imagerie populaire, l'écolier Villon est devenu le modèle du mauvais garçon vivant d'expédients et de bons tours et il se confond avec l'avocat Pathelin rendu célèbre par la farce du même nom. On leur attribue indifféremment les mêmes bons tours. Excellent exemple de l'association du réel et de l'imaginaire dans la constitution du mythe.
2. Avoir recours pour vivre à des moyens indélicats, anormaux.

La manière d'avoir du poisson

Alors il leur demanda
Ce qu'ils voulaient se mettre sous la dent.
L'un souhaita du bon poisson,
L'autre demanda de la viande.
Maître François, le joyeux luron,
Leur déclara : « Ne vous en faites pas :
Vous pouvez desserrer vos pourpoints[1]
Car nous mangerons à notre suffisance ! »

Alors il quitta ses compagnons
Et alla à la poissonnerie.
Il les abandonna de l'autre côté des ponts[2],
Les laissant à leur mélancolie.
Il acheta à prix fort
Un panier rempli de poisson,
En donnant l'impression, je peux vous l'assurer,
D'être un homme de haute condition.

Maître François se montra diligent[3]
D'acheter mais non pas de payer :
Il déclara qu'il donnerait l'argent
Comptant au garçon qui lui porterait le panier.
Il quitta la poissonnerie sans en dire plus, accompagné
[du jeune garçon,
Et revint en passant par Notre-Dame
Où il vit le curé du lieu
Qui confessait un homme ou une femme.

Quand il le vit, brièvement
Il lui demanda : « Monseigneur, je vous prie,
Si cela ne vous ennuie pas, de bien vouloir dépêcher[4]
Mon neveu car je peux vous assurer

---

1. Partie du vêtement couvrant le torse ; veste serrée.
2. La scène se passe à Paris.
3. Plein d'empressement.
4. Le bon tour est fondé sur le double sens de ce mot qui signifie d'une part *confesser et absoudre* (sens que comprend le prêtre), d'autre part *payer* (sens que comprend le garçon).

Qu'il est d'un naturel si rêveur
Qu'il néglige beaucoup trop ses devoirs envers Dieu ;
Il a d'ailleurs l'esprit si troublé
Qu'il ne parle de rien d'autre que d'argent.

— Vraiment, répondit le curé,
Je le ferai très volontiers. »
Maître François prit alors le panier
Des mains du jeune garçon et lui dit : « Mon ami,
                         [approchez-vous.
Voilà la personne qui vous dépêchera
Dès qu'il en aura terminé avec ses occupations. »
Après quoi maître François s'esquive
En emportant le panier avec lui.

Quand le curé eut fini
De confesser la personne qui était avec lui,
Gagne-denier[1], qui méritait bien son nom,
Se précipita vers lui
En lui disant : « Monseigneur, je vous assure
Que s'il vous plaisait de prendre le temps
De me dépêcher sur-le-champ,
Vous me feriez grand plaisir.

— Je le veux bien, en vérité,
Dit le curé, je vous le promets.
Dites le bénédicité
Et puis je vous confesserai,
Et ensuite je vous absoudrai
Comme je dois le faire ;
Après quoi je vous donnerai une pénitence
Dont vous aurez bien besoin !

— Me confesser ! Quelle idée ! dit le pauvre garçon,
N'ai-je pas été absous le jour de Pâques ?
Saint Pierre de Rome m'en soit témoin,

---

1. Nom comique, forgé de toutes pièces pour se moquer de l'âpreté au gain du poissonnier. Le théâtre comique fourmille de tels noms.

Je réclame cinquante sous.
Qu'est-ce qui se passe ? Où sommes-nous ?
Ma maîtresse ne plaisante pas !
Vite, vite, dépêchez-vous,
Payez-moi mon panier de poisson.

— Ah ! Mon ami, ce n'est pas un jeu.
Vraiment, dit le curé,
Il vous faut bien penser à Dieu
Et le prier en toute humilité.
— Sur ma tête, j'aurai satisfaction,
Répliqua le garçon. Sans tergiverser[1],
Dépêchez-moi sans plus attendre
Ainsi que ce seigneur qui m'accompagnait l'a ordonné. »

Alors le curé vit bien
Qu'il y avait eu quelque tromperie ;
Quand il en entendit nommer l'auteur
Il comprit parfaitement la fourberie.
Le pauvre garçon coursier, je vous prie de me croire,
N'apprécia pas beaucoup la mésaventure
Car il ne reçut, je vous l'affirme
Ni or ni argent et ne récupéra pas même son poisson.

Maître François, grâce à son astuce,
Trouva ainsi l'art et la manière
D'avoir du poisson en grande quantité
Pour banqueter et se divertir.
Il était la mère nourricière
De ceux qui n'avaient pas d'argent.
C'était un homme fort habile
A tromper tout le monde.

La manière d'avoir des tripes pour dîner

Que fit-il ? En deux mots
Il eut l'idée d'une bonne mystification :
Il fit laver bien proprement les fesses

---

1. Sans user de détours.

A un joyeux drille de ses compagnons, c'est
[authentique,
En disant : « Il te faudra surveiller
Le moment où je serai devant la tripière ;
Montre alors tes fesses pour plaisanter...
Et ensuite nous ferons bonne chère. »

Le joyeux compagnon ne faillit pas à son rôle,
Saint Rémi de Reims en soit témoin !
En jouant parfaitement son rôle, il vint vers le petit
[pont,
Les fesses découvertes jusqu'à la ceinture.
Quand Maître François vit la scène,
Dieu sait s'il fit grise mine
Car il tenait dans ses mains
Du foie, du poumon et des tripes.

Comme s'il était outré
Et vivement choqué,
Il leva un peu la main
Et frappa rudement son compagnon
Sur les fesses avec les tripes,
Puis sans autre forme de procès,
Il voulut sur-le-champ
Les remettre dans le baquet.

La tripière fut fort courroucée
Et ne voulut pas les reprendre.
Maître François, sans plus attendre,
S'en alla donc sans lui demander son dû.
C'est de cette manière, ainsi que vous pouvez le
[constater,
Qu'ils eurent des tripes et du poisson.
Mais ensuite il fallait du pain frais
Pour ce festin de qualité.

La manière d'avoir du pain

Il s'en vint chez un boulanger
Afin d'approvisionner parfaitement sa bande,

En contrefaisant le gentilhomme
Qui veut fournir sa maison.
Il prit là cinq ou six douzaines de couronnes de pain
Et commanda qu'on les mît en chapelets
Et que l'on se pressât.

Quand la moitié fut réunie en chapelets,
Il la fit mettre dans une hotte
Comme s'il était très pressé
Et il demanda instamment au patron boulanger
Que quelqu'un veuille se charger
D'apporter en courant, à sa suite,
Le pain mis en chapelets jusqu'à sa maison
Pendant que l'on préparerait le reste.

Le valet chargea la hotte sur son dos
Et suivit maître François ;
Il arriva, essoufflé ou non — je ne sais —,
Près d'une grande vieille porte.
Le valet déchargea sa hotte
Et fut renvoyé sur-le-champ
En toute hâte, en traînant sa hotte,
Pour chercher le reste.

Maître François, sans contredit[1],
N'attendit pas le retour du valet.
Grâce à sa ruse, il eut du pain
Pour approvisionner son festin gratuit.
Le boulanger, sans perdre un instant,
Revint mais il ne trouva pas
Son maître d'hôtel et enragea
D'avoir été trompé à ce point.

La manière d'avoir du vin

Après qu'ils furent pourvus de provisions,
Il leur fallut bien penser
Que s'ils voulaient s'enivrer ce même jour,

1. On ne peut dire le contraire.

Il fallait qu'ils eussent à boire !
Maître François, ainsi que vous pouvez m'en croire,
Emprunta deux grands brocs de bois
En disant qu'il était nécessaire
D'avoir du vin en imaginant quelque duperie.
Il fit remplir l'un de belle eau claire
Et se rendit à la « Pomme de Pin »
Sans difficulté, avec ses deux brocs,
Demandant s'il y avait du bon vin
Et qu'on lui remplisse son broc du meilleur
A condition que ce soit du blanc et moelleux.
Pour le satisfaire, on lui remplit son broc
D'un très bon vin blanc de Bagneux.
Maître François prit les deux brocs
Et les plaça l'un près de l'autre.
Et, dans le même temps, comme pour échanger quelques
                                                    [propos aimables,
Il demanda tranquillement
Au serveur quel vin c'était.

Celui-ci lui répondit que c'était du vin de Bagneux.
« Videz, videz-moi ça ! Vite !
Car, sur ma tête, je n'en veux pas.
Qu'est-ce que c'est que ça ! Êtes-vous fou !
Videz-moi vite mon broc :
Je veux du vin de Beaune
Et du bon et rien d'autre ! »
Et tout en parlant, avec adresse,
Il lui tendit, à la place de l'autre, et sans que cela se
                                                    [remarque,
Le broc qui était plein d'eau.

Ainsi eurent-ils du vin
Grâce à leur adresse à duper.
Sans avoir recours à un mage[1]
Ils dînèrent le mieux du monde.
Mais le plus beau tour fut réservé au souper
Car maître François, sans faire de longs discours,

1. Magicien.

Leur dit : « Je vais maintenant m'entremettre
Pour que nous mangions ce soir du rôti. »

La manière d'avoir du rôti

Il fut décidé qu'il irait
Devant l'étal d'un rôtisseur
Où il marchanderait de la viande
Tout en feignant d'être un joyeux compagnon sans
[soucis.
Et, afin de trouver un bon moyen pour parvenir à ses
[fins,
Viendrait un querelleur
Qui, en faisant semblant de ne pas jouer la comédie,
Lui donnerait un soufflet sur la joue.

Il vint donc à la rôtisserie
Et marchanda de la viande ;
L'autre arriva, feignant la contrariété :
« Que veut ce paillard[1] ? » dit-il
En lui donnant une forte gifle
Et en l'accablant de reproches.
Quand maître François se vit ainsi pris à partie,
Il empoigna une broche garnie de viande rôtie.

Celui qui l'avait giflé
Tourna casaque et prit ses jambes à son cou.
Maître François, sans autre forme de procès,
Se lança à sa poursuite, son rôti à la main.
Ainsi, sans plus de difficulté,
Ils mangèrent de bon cœur ;
Grâce à leur fourberie, ils eurent
Du pain, du vin, des tripes, du poisson et du rôti.

_____
1. Méchant drôle.

Le festin gratuit
de l'écolier démuni

« Celui qui n'a pas d'argent
Doit y chercher remède en vivant d'expédients.
Si l'on ne possède ni robe ni pourpoint,
Que peut-on laisser en gage ?
Pourtant si l'on prenait l'habitude
De chanter une chansonnette
Pour payer son écot,
Cela serait un moyen honnête de s'acquitter. »

L'auteur :
Ainsi devisait un jeune drôle désargenté
Qui était intelligent et rusé de nature.
Mi-triste mi-gai,
Il partit d'un bon pas du Palais[1]
En se disant que si l'on ne cherche pas soi-même
Le moyen de trouver de quoi se nourrir,
On ne sera jamais servi sur un plateau,
Car il mourait de faim.

Il voulait se hâter
De trouver quelque tromperie.
Il alla s'installer
Dans la meilleure hôtellerie
Et commença à demander
Si l'on avait quelque chose de bon pour lui,
Car il voulait déjeuner là
Et faire bonne chère.

Alors on demanda quels plats
Feraient plaisir à ce pèlerin.

1. Il s'agit du Palais de Justice. L'écolier est un étudiant en droit,
un bazochien et, comme tel, réputé pour être expert en l'art de
tromper.

Il répondit : « Je ne demande
Qu'une perdrix et un coquelet
Arrosés d'une pinte[1] de vin
De Beaune frais tiré,
Et ensuite, pour terminer,
Un bon lit et un feu dans la cheminée. »

Tout ce qui lui parut bon,
Le valet alla le lui chercher.
Notre joyeux drille vint se mettre à table
Pour mieux se divertir
Et dîna là tout à loisir
Plongé dans ses pensées comme un sage.
Mais, avant qu'il ne se lève de table,
Il lui fallut aussi avoir un morceau de fromage.

L'hôtelier :
« Eh bien, mon ami, dit l'hôtelier,
Il faut maintenant songer à payer car vous devez
En tout et pour tout sept sous et demi.
Il vous faut me régler votre écot. »

L'écolier :
« Je ne sais comment vous les aurez,
Répondit l'écolier, car, par saint Gilles,
Je veux que vous sachiez
Que je ne possède pas un sou. »

L'hôtelier :
« Quand on n'a pas d'argent, on laisse des gages ;
C'est une coutume bien établie.
Comment ! vous voulez vivre largement
Et vous n'avez pas un sou !
Êtes-vous un voleur ou un assassin !
Par Dieu, avant que tu ne partes d'ici,
Pour en finir avec cette histoire, tu me paieras
Ou tu y laisseras ta robe ! »

1. Environ un litre.

L'écolier :
« Pour ce qui est de l'argent, je n'en ai point
Et je le dis tout haut :
Comment m'en irai-je en pourpoint[1],
Aussi nu qu'un vagabond :
Dieu merci, je n'ai pas trop chaud !
Mais s'il vous plaisait de m'employer,
Je vous servirais honnêtement
Jusqu'à ce que j'aie payé mon écot. »

L'hôtelier :
« Et comment ? Que savez-vous faire ?
Dites-le-moi franchement. »

L'écolier :
« Quoi ? Tout ce qu'il faut faire ;
Il n'est pas nécessaire de demander comment !
Je vous parie que sur l'heure
Je vais vous chanter une chansonnette
Et, je m'en vante, d'une voix si haute et claire
Que vous direz : "Cela me plaît." »

L'auteur :
Alors, l'hôtelier, en l'écoutant tenir de tels propos,
Accepta joyeusement la gageure[2]
En pensant en son for intérieur
Qu'il verrait bien ce qu'il allait se passer
Et que, si d'aventure, l'écolier chantait bien,
Il lui dirait pour couper court à tout
De payer rapidement son écot
Car son chant ne lui plaisait pas.

Marché dit, marché conclu
Et ce au su et à la vue de tous.
Alors l'écolier, d'un geste rapide,
Sortit de sa gibecière

1. Le pourpoint se portait sous la robe comme une chemise, et
l'on ne se promenait pas en chemise !
2. Le pari.

Une bourse bien peu garnie de pièces d'argent
Mais pleine de petits jetons de cuivre,
Et il se mit à chanter fort juste
Et à pleine gorge une chanson de son invention.

Avec la bourse, il frappait la mesure
Sur la table d'une manière ostentatoire[1].
Et, fort convenablement,
Il chanta à pleine gorge :
« Il faut payer ton hôte, ton hôte, ton hôte... »
Et il chanta ce couplet jusqu'au bout.
L'hôtelier qui était assis à côté de lui,
S'exclama : « Cela me plaît beaucoup. »

Toutefois il ne pensait pas
Être ainsi payé de son dîner,
Ce en quoi il se trompait lourdement.
Il fut débouté de ses prétentions[2].
Et devant tous, on déclara
Que l'écolier était un gentil compagnon
Et que, grâce à son marché,
Il avait bien dîné pour une chanson.
C'est effectivement bien dîner que de sortir de table
Sans débourser un sou
Et de dire adieu au tavernier
En essuyant son nez sur la nappe !

> Nous avons cru bon de présenter ici ce texte, encore
> inédit (et en respectant sa présentation versifiée) car il
> porte témoignage du succès rencontré deux siècles
> plus tard par les bonnes histoires rapportées dans les
> fabliaux et tombées dans le grand fonds comique de la
> culture populaire. Le premier bon tour, attribué à Villon,
> n'est que la reprise de celui imaginé par le joyeux clerc
> des « Trois aveugles de Compiègne ». Les autres bons
> tours sont aussi relatés dans des fabliaux ou des farces.

1. Exagérée pour qu'on la remarque.
2. On rejeta sa demande.

CONTES DU XIIIe SIÈCLE

Le conte des enfants-cygnes

Septième conte du *Dolopathos*

Il y avait jadis un damoiseau[1] qui, par sa noblesse et sa vertu, méritait bien le titre de gentilhomme. Il adorait la chasse à courre et la chasse au gibier d'eau. C'était un homme très courtois[2] et qui aimait beaucoup les braques[3] et les lévriers, les chiens courants et les chiens d'arrêt ; il possédait des meutes de limiers[4]. Il était expert en vénerie[5] et en fauconnerie[6] et surpassait tout le monde.

Il prit un jour ses braques et ses limiers pour aller chasser. Les veneurs lâchèrent les meilleurs chiens courants pour suivre la piste. Le damoiseau montait un grand cheval de chasse, un cor à son cou et une épée au côté avec laquelle il avait mis à mort maintes bêtes sauvages. Au sortir d'un sentier forestier, ses chiens ont flairé la trace d'un grand cerf plus blanc que neige. La chasse s'annonçait bonne et fertile en rebondissements car le cerf s'était mis en fuite. Les

1. Forme masculine de *damoiselle/demoiselle*, le mot désigne un jeune homme noble.
2. Bien éduqué et plein de nobles qualités.
3. Race de chiens de chasse. Bons chiens d'arrêt.
4. Chiens qui trouvent la piste du gibier grâce à leur flair.
5. La vénerie est l'art de chasser avec des chiens. Au Moyen Age, on pratiquait la chasse à courre : l'animal chassé, cerf ou sanglier, était poursuivi jusqu'à l'épuisement par la meute des chiens que les chasseurs suivaient à cheval. Quand le gibier était à bout de souffle et s'arrêtait, un des chasseurs descendait de cheval et venait lui donner le coup de grâce.
6. Chasse avec des oiseaux de proie, surtout des faucons dressés, que le chasseur à cheval portait encapuchonnés sur un gant spécial et qu'il libérait lorsqu'il voyait la proie.

uns cornent, les autres crient et les chiens aboient de concert en faisant retentir la forêt. Le damoiseau se lança à la poursuite du cerf ; c'était lui qui le suivait de plus près. Mais le cerf blanc connaissait la contrée par cœur. On comptait bien dix andouillers[1] sur ses cornes ; il était très vieux et grand et gros. Il aplatit ses cornes sur son dos et s'enfuit, tête levée, au plus épais des fourrés. Le damoiseau le suivait du plus vite qu'il le pouvait en s'appliquant à ne pas perdre la trace. Et le cerf s'enfuyait toujours. Tous les chiens perdirent bientôt sa trace. La forêt était épaisse et drue. Le damoiseau eut bientôt perdu de vue ses compagnons et il ne sut plus où étaient ses chiens. Il se trouvait dans une profonde vallée. Il éperonna son cheval et plusieurs fois sonna du cor pour appeler ses gens et ses chiens dont il n'avait plus aucune nouvelle. Mais il eut beau sonner du cor, personne ne lui répondit. Il chevaucha à bride abattue dans toutes les directions de la vallée et fit souvent résonner la forêt et le vallon de ses appels de cor.

Il chevaucha tant à l'aventure dans la forêt qu'il parvint à une fontaine dont l'eau claire et belle courait sur un lit de graviers. Là se trouvait une fée qui avait quitté ses vêtements pour se baigner dans l'eau claire, seule et sans la moindre compagnie. Elle était svelte et belle ; elle avait des bras, un corps, un visage magnifiques. En un mot, je vous dirai que jamais n'en exista de plus belle. Le damoiseau la contempla longuement. Quand il la vit si belle, il en fut saisi et le cœur lui manqua. Il en oublia et ses chiens et ses gens. Il se mit à la désirer ardemment car sa grande beauté l'avait envoûté. Elle, qui n'y avait pas pris garde et qui ignorait tout, avait posé sur la rive une chaîne d'or fin qui lui appartenait. Le damoiseau, auquel sa violente passion fit perdre la tête, bondit en avant et s'empara de la chaîne. La demoiselle fut

---

1. Les andouillers sont les ramifications des cornes du cerf. Ils permettent de connaître son âge car il en pousse un par an. Ici le cerf a dix ans.

surprise ; elle, qui puisait sans doute sa force et son pouvoir dans la chaîne, ne put pas se défendre. Le damoiseau, sans perdre un instant, la fit sortir toute nue de l'eau et lui tendit ses vêtements. Il avait totalement oublié les chiens et le cerf. Il lui demanda de lui accorder son amour et lui dit qu'il la prendrait pour femme et qu'elle deviendrait une riche et haute dame. La fée lui fit prêter serment de tenir sa promesse. En ce temps-là, il n'en fallait pas plus : quand deux jeunes gens avaient échangé leurs promesses, ils se portaient, l'un à l'autre, loyauté, fidélité et grand amour.

Ils dormirent cette nuit-là au bord de la fontaine et ne se quittèrent pas. La demoiselle devint dame car elle était sage et sensée. Couché sur l'herbe fraîche et verdoyante, le damoiseau ne retenait pas sa joie. A minuit, la demoiselle, qui était devenue une femme, regarda les étoiles. Elle était loin d'être niaise et en savait assez naturellement pour voir qu'elle avait conçu six fils et une fille. Elle en rapporta la nouvelle à son époux et s'en montra fort effrayée. Mais son époux la réconforta et la prit tendrement dans ses bras ; il lui embrassa doucement les yeux, la bouche et le visage. C'est ainsi que cette première nuit, ils dormirent au bord de la fontaine. Au point du jour, ils se levèrent ; le damoiseau la fit monter sur son cheval de chasse et l'emmena vers son château. Tous ses gens accoururent à sa rencontre en manifestant une grande joie. Ils firent grande fête à la dame quand ils surent qu'elle était son épouse ; tous firent tout ce qu'ils pouvaient pour l'honorer au mieux, au milieu des marques de joie les plus vives.

Le damoiseau avait encore sa mère mais il avait perdu son père. Quand la mère apprit et vit de manière irréfutable que son fils avait pris la demoiselle pour femme légitime, peu s'en fallut qu'elle ne mourût de chagrin. Elle était la seule et entière maîtresse de son fils : aussi redoutait-elle vivement que sa bru ne régnât désormais sur tout puisque son fils l'avait épousée. Elle en ressentit une telle douleur et un tel chagrin

qu'elle en fut à deux doigts de perdre la vie. Elle en
fut malade de dépit et de haine et chercha les moyens
de s'en débarrasser. Elle vint trouver son fils et le
blâma de s'être marié et tenta de lui faire entrer le
doute dans le cœur. Si elle l'avait pu, elle aurait
volontiers fait en sorte qu'il haïsse sa femme, mais
jamais elle ne put y parvenir. Le damoiseau refusa
d'en parler davantage et lui dit :

« Dame, n'en parlez plus : elle est ma femme
légitime et je l'aime ; je ne veux pas avoir d'autre
femme qu'elle. »

La mère se rendit bien compte que, quelque don ou
quelque promesse qu'elle pût faire, elle ne pourrait
réussir à les séparer et que, de plus, son fils lui en
voulait d'en avoir parlé. Elle en fut fort affligée au
plus profond d'elle-même. Elle se mit à échafauder de
sombres machinations mais elle ne le laissa pas paraître.
Elle était rongée par le dépit et l'envie et pleine
d'hypocrisie et de méchanceté. Elle décida d'attendre
le moment favorable car, pour l'heure, il lui était
impossible d'agir autrement. Elle était fourbe et pleine
de fiel. Elle faisait bon visage à sa bru et feignait
d'éprouver pour elle de l'attachement. Elle la conseil-
lait avec douceur et l'éduquait comme si elle avait été
sa fille. Elle lui témoignait tant d'égards qu'il était
impossible de faire plus. Elle n'osait se comporter
autrement. Feindre l'amour est une bien vilaine chose
car bien souvent celui qui fait semblant d'aimer ne
fait que déguiser sa haine.

La vieille était fausse et cruelle alors que la demoiselle était douce, franche, courtoise et belle. Mais,
comme elle était enceinte, son visage avait quelque
peu pâli. Chaque jour elle devenait plus grosse tant et
si bien qu'arriva le moment de l'accouchement. Sa
belle-mère qui, par hypocrisie, faisait mine de la servir,
ne voulut pas qu'elle eût d'autre sage-femme qu'elle
pour l'aider à accoucher. Toutes les deux étaient donc
seules, en tête-à-tête, dans une chambre privée du
château. La jeune dame souffrait de partout, du cœur,
de tout le corps, de tous les membres ; mais quand

arriva le moment de l'accouchement, il lui fallut
supporter une bien plus grande douleur encore car,
ainsi que Dieu l'avait voulu, elle accoucha de six fils
et d'une fille dans les bras de sa méchante belle-mère
qui était plus perfide qu'une vipère. Les sept enfants
étaient tous d'une extraordinaire beauté. Chacun d'eux
portait au cou une chaîne d'or dont les maillons ne
comportaient aucun fermoir : c'était un don de la
nature. Quand la vieille, qui était pleine de méchanceté
et jalousait sa bru, vit les enfants, elle agit comme sa
mortelle ennemie. La jeune femme était malade et
affaiblie à cause de la douleur et des tourments qu'elle
avait supportés ; aussi ne s'aperçut-elle de rien. La
vieille lui vola ses sept enfants et les remplaça par
sept petits chiots qu'une chienne braque qu'elle possédait avait eus dans la semaine. Ce ne fut pas trop
difficile pour elle et elle put le faire sans encombre.

Elle convoqua un serviteur en qui elle avait pleine
confiance et qui était au fait de ses projets. Elle lui
remit les enfants et, sans faire de bruit ni élever la
voix, elle lui expliqua ce qu'elle attendait de lui. Elle
lui fit promettre et jurer que jamais il ne la dénoncerait
et qu'il emmènerait les sept enfants dans un lieu où
jamais on ne pourrait les retrouver, et qu'ils seraient
étranglés ou noyés. Le serviteur prit les enfants et
passa la porte de la ville sans attirer l'attention puis il
s'enfonça dans la forêt profonde. Il avait bien présent
à l'esprit ce qu'il avait juré à la dame. Mais il
voyait les enfants si beaux qu'il se demandait s'il
parviendrait à les tuer. Cela lui semblait une grande
lâcheté que de les faire mourir comme il l'avait
promis. Il réfléchit qu'il les abandonnerait sous un
arbre mais sans leur faire le moindre mal : il pensait
que des bêtes sauvages ou des oiseaux viendraient les
dévorer et qu'ainsi il se serait acquitté de sa tâche vis-
à-vis de sa maîtresse. Même pour mille livres, il
n'aurait pas voulu leur faire de mal ! Il les abandonna
ainsi au pied d'un arbre, tous les sept dans les bras les
uns des autres.

Bien fou est celui qui se sépare de Dieu, car Celui

qui créa la terre et fit l'homme à son image, est plein de miséricorde. Il a tout créé et Il prend soin de tout. Mais encore est-Il plus attentif pour soulager du malheur l'homme qu'Il fit à son image qu'Il ne le serait pour n'importe quelle autre créature. Il voit tout, Il sait tout, Il peut tout. Il vit les enfants que le serviteur avait abandonnés sous l'arbre. Dans sa grande pitié, Il les protégea. Il ne voulait pas que périsse l'œuvre qu'Il avait accomplie

Dans ce bois vivait un vieil homme, un philosophe très savant et très sage qui, pour méditer librement, refusait de vivre dans une ville ou quelque autre cité. Il mettait toute sa peine à étudier. D'une caverne il avait fait sa maison et il y vivait en toutes saisons. Il passait son temps à se promener dans les bois et tout en se divertissant, il étudiait et méditait. Ainsi que Dieu l'avait décidé, il arriva que ce vieil homme passa près de l'arbre. Il découvrit les sept enfants au pied de l'arbre. Cette découverte le remplit de joie ; il les emmena avec lui dans sa caverne et s'occupa d'eux avec une grande bonté. Il les adorait. Il les garda ainsi et les nourrit pendant sept ans ; il les chérissait comme s'ils étaient ses propres enfants. Il les nourrissait du lait d'une biche. D'ailleurs la biche était si bien apprivoisée et habituée qu'elle ne quittait pas la caverne.

Je vais maintenant laisser là les enfants et vous parler de la vieille marâtre qui était plus cruelle et malfaisante qu'un tigre ou qu'une lionne. Personne ne sut qu'elle avait chargé le serviteur de la débarrasser des enfants. Elle appela son fils et, en lui cachant bien la vérité, elle lui tint ce discours mensonger :

« Oh ! Mon fils trop ingénu et trop confiant, tu n'as jamais voulu me croire et tu as pris femme contre mon gré : tu as fait là une belle bêtise ! Viens voir ta progéniture. Ton épouse est maintenant accouchée de ce qu'elle portait en elle ! »

Elle le mène vers le lit de la fée qui était trop fatiguée, malade et alanguie pour s'apercevoir de quoi que ce soit. Il voit les chiots que lui montre la vieille fourbe.

« Beau fils, lui dit-elle, voilà les monstres dont ta femme s'est délivrée. Tu disais qu'elle était une fée : à sa progéniture, cher fils, on peut bien voir sa véritable nature ! »

Ainsi lui parla la vieille marâtre hypocrite. Le damoiseau en fut très affecté car il croyait que ce qu'elle lui racontait était vrai. Il la pria de prendre les chiots et de les faire conduire secrètement en un lieu où on les noierait. Ce qui fut fait sur-le-champ.

Dès lors qu'elle a décidé de passer à l'action, la femme est habile à tromper et pleine de perfidie. Elle préfère le mensonge à la vérité, la folie à la sagesse et agit dans ce sens. Il n'est pas un homme vivant, si sage soit-il, qu'une femme ne tromperait si elle voulait s'en donner la peine. Le damoiseau, qui avait coutume de servir et d'honorer la fée plus que quiconque au monde et qui l'aimait d'un si grand amour qu'il l'appelait sa dame aimée et sa maîtresse, conçut pour elle une haine profonde par suite de la perfidie de sa mère qui était méchante et cruelle. Il ne lui laissa pas le temps de relever de couches et il refusa de lui permettre de s'expliquer. Sans plus attendre, car il ne voulait plus en entendre parler, il la fit sur l'heure enterrer jusqu'à la poitrine qu'elle avait blanche et belle, au milieu du palais. Son grand amour s'était bien évanoui car il ordonnait à ses gens, du plus grand au plus petit, de ne lui témoigner aucune considération et il exigeait de tous ses serviteurs, écuyers, garçons d'écurie et valets, qu'ils se lavent les mains au-dessus de sa tête et les essuient sur ses cheveux qui étaient si clairs et si brillants qu'on aurait cru de l'or. Il la fit traiter de manière honteuse car il commandait au panetier de la nourrir avec le pain destiné aux chiens. Elle fut ainsi maintenue dans des conditions misérables et viles[1]. Tous ceux qui la voyaient s'en attristaient beaucoup mais ils ne pouvaient faire plus.

1. Déshonorantes.

La jeune femme, qui était si douce et si gentille, supporta ainsi de tels tourments pendant sept longues années. Elle eut de bien cruelles relevailles[1]. En sept ans, une femme qui endure de tels maux le paie bien cher ! Tous ses vêtements étaient usés, pourris, déchirés ; et la dame elle-même avait bien changé : son teint était devenu pâle et cireux ; sa peau, si blanche jadis, avait bruni. A cause du martyre qu'elle avait supporté, ses cheveux avaient terni et étaient devenus presque noirs. Elle avait perdu tout son éclat. La peine et la souffrance lui avaient creusé et pâli le visage ; ses yeux gris-vert s'étaient enfoncés dans ses orbites ; sa poitrine s'était amaigrie. Sa grande beauté s'était complètement flétrie. Sur tout son corps, si beau jadis, on ne voyait plus que la peau et les os ; ses bras, ses mains et tous ses membres étaient décharnés. Elle n'avait plus jamais dormi dans un lit. De son éclatante beauté il ne restait plus rien ; c'était déjà un miracle qu'elle vécût encore.

Pendant ce temps, ses enfants vécurent dans la forêt ; pendant sept ans, ils se nourrirent du lait de la biche sauvage ; ils vagabondaient dans la forêt et attrapaient des bêtes sauvages et des oiseaux qu'ils ramenaient au philosophe, lequel ne ménageait pas sa peine pour les élever et les éduquer avec beaucoup de douceur. Un jour, ainsi que l'avait décidé la volonté divine, leur père vint chasser dans la forêt avec ses chiens comme il avait l'habitude de le faire. Il voulait chasser un cerf ou un sanglier. Il fouillait la forêt ainsi que le font les chasseurs. Alors qu'il traversait un ancien sentier, il vit les enfants qui s'amusaient. Chacun d'eux avait une chaîne d'or au cou. Quand il les vit, il les contempla longuement avec grand plaisir. Mais dès qu'ils l'aperçurent, ils s'enfuirent. Il se lança à leur poursuite, tout heureux de suivre une telle piste et fort désireux d'en attraper au moins un. Mais ils refusèrent de se laisser approcher et il ne put se saisir d'aucun d'entre eux. Il continua la poursuite jusqu'à

---

1. Convalescence après un accouchement.

ce qu'il les ait perdus de vue et qu'il ne sache plus
quelle direction ils avaient prise.

Le damoiseau revint à son manoir[1] et raconta à sa
mère et aux siens l'aventure qui lui était arrivée. La
vieille marâtre, tout éperdue de ce qu'elle avait entendu,
fit venir le serviteur et, dans un recoin isolé du château,
elle lui demanda en secret de lui dire la vérité. Celui-
ci reconnut qu'il n'avait pas tué les enfants car il avait
pensé qu'ils ne pourraient guère vivre longtemps à
partir du moment où il les aurait abandonnés et
surtout qu'il était bien improbable qu'ils puissent
partir de l'arbre au pied duquel il les avait laissés dans
les bras les uns des autres.

« Ah ! fit la marâtre, tu as bien mal agi en ne les
tuant pas sur l'heure. Tu nous as mis dans une
mauvaise situation que nous risquons de payer très
cher car mon fils, en chassant dans la forêt, les a vus
aujourd'hui tous les sept. Certes, c'est là une chose
fâcheuse ! Maintenant il va falloir te remuer : il te
faut absolument trouver les chaînes. Il faut que tu
recherches les enfants par monts et par vaux et à
travers toute la forêt jusqu'à ce que tu les aies
retrouvés et tu me rapporteras leurs chaînes de gré ou
de force. Si tu ne les rapportes pas, je ne donne pas
cher de notre vie ! »

La peur de mourir est un aiguillon puissant. Le
serviteur se lança corps et âme dans sa quête et ce,
nuit et jour. Il alla et chercha partout sans un instant
de repos dans les bois les plus touffus et il parcourut
tous les sentiers. Pendant trois jours entiers, jour et
nuit, il chercha sans s'arrêter. Le quatrième jour, il
déboucha sur une rivière dont l'eau était profonde et
claire. Là se baignaient les six frères qui avaient pris
l'apparence de cygnes. Ils s'amusaient sur l'eau et leur
sœur, qui était la créature la plus parfaite que l'on
puisse voir sous le soleil, était assise sur la rive. Elle
gardait les chaînettes d'or en les attendant. Le serviteur
vit la jeune fille qui portait sa chaînette autour du cou

1. Château.

et il aperçut, tout près d'elle, les autres chaînes qu'il avait consigne de rapporter à sa maîtresse. La jeune fille était attentive à suivre le jeu auquel ses frères participaient. Elle ne s'aperçut de rien jusqu'au moment où le serviteur prit les chaînes. Il la surprit si bien qu'il n'eut aucune difficulté pour faire main basse sur les six chaînettes d'or mais il ne put se saisir de celle qu'elle portait au cou. Elle s'enfonça dans la forêt de sorte qu'il ne sut ce qu'elle était devenue.

Tout heureux, il prit le chemin du retour et rapporta les six chaînes à sa maîtresse. Il les lui remit sans que personne pût le voir ou le savoir. La vieille marâtre, aussi vite qu'elle le put, fit appeler un orfèvre qui lui était dévoué. Elle lui demanda, par amour pour elle, de lui faire très vite un hanap[1] avec les six chaînes d'or. Elle lui promit une forte récompense à condition qu'il prenne bien garde à ce que pas un homme et pas une femme, excepté elle, ne le sache. L'orfèvre s'y engagea.

Il se mit sur l'heure à l'ouvrage ; il alluma le feu dans sa forge et commença à frapper de son marteau sur l'enclume. Il prit une chaîne qu'il avait mise à chauffer mais ni par le feu ni par le marteau, il ne parvint à l'endommager et encore moins à la briser. Pourtant, pour faire le hanap, il lui fallait les mettre en pièces. Il s'y essaya sur toutes les six mais il ne put en briser aucune. Il arriva tout juste à ouvrir un seul anneau de l'une d'entre elles avec son marteau. Quand il vit qu'il ne pourrait en venir à bout et qu'il lui serait impossible de faire quoi que ce soit avec les chaînes, il en fut contrarié et chagriné. Alors il prit un poids équivalent d'or et il en fit un magnifique hanap qui pesait aussi lourd que les chaînes que le feu avait laissées intactes et qu'il n'avait pas réussi à fondre. Il rangea soigneusement les chaînes et porta le hanap à la vieille dame. La fourbe et cruelle marâtre l'enferma dans son écrin et se garda bien de l'utiliser pour boire

---

1. Gobelet en métal précieux avec un pied et un couvercle.

de l'eau ou du vin. Jamais une goutte de vin n'y entra et elle ne le montra à personne, ni homme ni femme.

C'est ainsi que les six frères étaient devenus cygnes et ils ne pouvaient reprendre leur forme humaine depuis qu'ils avaient perdu les chaînes qui le leur permettaient. Il leur fallut supporter leur infortune et ils en éprouvaient une grande douleur. Ils poussaient des cris, comme le font les cygnes, en maudissant leur sort. Longtemps ils nagèrent ici et là en se lamentant au point qu'ils en vinrent à haïr la rivière ; il ne leur plaisait plus d'y séjourner ; ils décidèrent d'en partir. Ensemble, ils ont pris la route. Leur sœur se transforma en cygne. Elle pouvait être femme et cygne car elle avait encore sa chaîne alors que ses frères n'en avaient plus. Tous ensemble, ils se sont élancés. Ils tendent les pattes et le col. En groupe serré, ils sont montés haut dans le ciel.

Ils volèrent si longtemps, tous les sept ensemble, qu'ils finirent par apercevoir un étang, grand, profond et fort agréable dont les eaux transparentes convenaient parfaitement à leur état de cygnes et à leurs souhaits. Ils piquèrent vers l'étang. Le lieu leur plaisait et leur convenait. Et le château de leur père était situé si près que l'eau venait lécher le pied des murailles.

Le château était bâti sur une roche et l'eau arrivait jusqu'au pied. C'était une roche naturelle, dure, haute et large qui allait jusqu'au rivage où elle se perdait dans les flancs d'une montagne si haute qu'elle semblait toucher le ciel. Le château, bâti sur la roche abrupte, n'avait qu'une entrée fermée par une solide porte ouvragée et renforcée. C'est là qu'aboutissait l'unique voie d'accès coupée par un fossé et une palissade de pieux pointus fichés dans le sol. Il y avait aussi un pont-levis. Le château était construit de telle sorte que ni perrière ni mangonneau[1] ne puisse l'atteindre et l'endommager. Il était impossible de l'en-

---

1. Les perrières et les mangonneaux étaient des sortes de catapultes utilisées pour lancer de lourds projectiles lors de l'attaque d'un château.

vahir ni par la ruse ni par la force. Pour peu qu'ils eussent de quoi manger, les habitants du château ne redoutaient personne. Le chemin d'accès naturel, qui conduisait à la haute montagne, était si étroit qu'un seul homme à la fois pouvait y passer ; jamais deux n'y auraient passé de front. De l'autre côté, du côté de l'eau, la roche était si abrupte et si haute que le château paraissait bâti au sommet d'une montagne. D'aussi loin qu'on pouvait tirer un trait d'arbalète, nul homme ne pouvait l'approcher. Le château avait des portes renforcées, des fortifications extérieures, des douves, de hautes murailles et un double mur d'enceinte intérieur. Tout avait été taillé dans la roche. Il en avait fallu des coups avant que le château soit terminé ! Jamais on n'en construisit de semblable ou même d'approchant. Il était très bien situé et parfaitement fortifié. Si je vous ai autant parlé de ce château, c'est parce que jamais château ne fut mieux construit. C'était un bon maître d'œuvre, celui qui le bâtit sur la roche abrupte. A l'intérieur il était grand et large et richement aménagé. Dans le donjon il y avait à l'étage un appartement somptueusement meublé. Le palais, vaste et imposant, était situé près du donjon. Il était entouré d'étables, de greniers, de chambres et de cuisines. Il y avait de nombreuses dépendances richement décorées et garnies. La grande salle du palais était des plus spacieuses ; sur les murs étaient accrochés maints solides boucliers, maintes lances et maintes épées, maintes armes de cheval et de pied, au fer tranchant et acéré, maints bons cors recouverts d'argent ciselé. J'arrêterai là ma description : les lieux et leur décor étaient superbes.

Les fenêtres donnaient sur l'étang. Le seigneur du lieu y était accoudé. Je ne sais s'il était triste, mais il fixait les eaux du lac, plongé dans la méditation. En regardant l'eau, il vit les cygnes qui étaient beaux et charmants. Il ordonna à ses gens de les regarder sans faire de bruit et sans s'agiter et de ne leur faire aucun mal ou rien qui puisse les épouvanter. Ils leurs jetèrent du pain et du grain jusqu'à ce qu'ils se fussent habitués à l'endroit. Ce fut une chance pour les cygnes que d'être arrivés là. Le seigneur les contemplait volontiers. Quand ils mangeaient, ceux du château leur jetaient de la viande, du poisson, des morceaux de pain et même des pains entiers. Ils apprirent bien vite à connaître l'heure du repas sans qu'il soit besoin de les appeler ou de les siffler. Ils étaient devenus familiers du château. Les uns et les autres, grands et petits, leur jetaient des choses diverses et se divertissaient de les voir se précipiter sur le pain, nager et jouer entre eux. La sœur, qui possédait encore sa chaîne, redevenait femme à son gré quand elle se trouvait près du château. Elle y venait seule pour demander du pain et elle attendait devant la porte qu'on lui fasse l'aumône. Elle vivait des restes de son père, du pain de sa table et de ce qu'il avait en trop. Mais quels que soient les circonstances ou les événements, tout être se comporte selon sa nature et sa destinée. Elle ne connaissait pas son père et ignorait qui était sa mère et pourtant elle portait sur l'heure à sa mère tout ce qu'on lui donnait et tout ce qu'elle avait dans les mains et ce qui lui restait, elle le ramenait à ses frères. C'était une chose profondément émouvante que de la voir pleurer de compassion à cause de la peine et du tourment qu'elle voyait sa mère supporter. Elle ne pouvait s'en empêcher ; elle manifestait pour elle une grande douleur et elle ne l'aurait pas quittée si elle n'avait dû retourner auprès de ses frères. Il n'était pas un jour où elle n'eût du pain et des restes en abondance. Quand ils la voyaient revenir, les cygnes étaient tout joyeux et lui faisaient fête en voletant tous ensemble autour d'elle. Ils mangeaient ses restes dans sa main. Chaque jour, matin et soir, ils lui manifestaient une grande joie et lui entouraient le cou de leurs ailes. Elle les embrassait avec douceur et les serrait contre elle car elle savait qu'ils étaient ses frères. Elle ne connaissait pas encore sa mère et pourtant elle dormait près d'elle chaque nuit. Elle la chérissait si fort de toutes les fibres de son corps que rien n'aurait pu l'empêcher de venir chaque nuit dormir près d'elle. Elle éprouvait pour elle une grande pitié et pourtant elle ne pouvait trouver aucune raison à sa constance et aux soins dont elle l'entourait. Mais tout être obéit inconsciemment à sa nature profonde.

Les gens qui se trouvaient au château la voyaient ainsi chaque jour descendre du château vers l'étang ; ils voyaient aussi les cygnes prendre tout ce qu'elle leur donnait de sa main et le soir ils l'entendaient pleurer et se lamenter près de sa mère qui vivait nuit et jour dans de si grands tourments. Petits et grands s'en étonnaient et plusieurs d'entre eux disaient qu'elle ressemblait étrangement à la fée le jour où elle avait été amenée au château. Elle avait la même silhouette, le même visage, le même nez et les mêmes traits.

Quand le châtelain l'apercevait, il la contemplait avec plaisir. Tout l'or du monde n'aurait pu l'empêcher de la regarder longuement. Il ne pouvait se retenir. Un jour, il la fit venir à lui. L'enfant y vint volontiers. Il se trouva par hasard qu'il aperçut la chaîne d'or qu'elle portait autour du cou. Cela lui rappela la fée qu'il avait rencontrée à la fontaine et qu'il avait épousée et à laquelle il faisait endurer de tels tourments qu'il ne se comportait guère comme quelqu'un qui l'aurait aimée. Il adressa la parole à l'enfant et lui demanda :

« Fillette, où es-tu née ? Dans quel pays et dans quelle région ? N'as-tu plus ni père ni mère, ni parents, ni frère ni sœur ? Comment peut-il se faire que tu puisses faire venir les cygnes à toi et qu'ils te mangent dans la main quand tu le veux, le soir et le matin ? »

Quand elle entendit son père lui poser une telle question, la jeune fille se mit à soupirer et à pleurer de sorte qu'elle pouvait à peine prononcer un mot. Entre deux soupirs, elle lui répondit pourtant :

« Sire, Dieu m'en soit témoin, si cela pouvait être qu'un homme ou une femme puisse naître naturellement sans avoir de père ni de mère, alors bien sûrement, je vous dirais qu'en vérité je n'ai jamais eu ni père ni mère. Mais par contre je sais bien que les cygnes qui viennent manger dans ma main sont tous

les six mes frères de lait. Mais je ne pense pas, à ma
connaissance, que j'aie jamais vu mon père ou ma
mère. »

Elle lui a alors raconté comment ils avaient été
nourris du lait de la biche sauvage et comment ils
avaient vécu sept ans dans la forêt où le vieux maître
qui savait tant de choses, les avait gardés et protégés,

et comment celui qui leur avait volé leurs chaînes qu'elle gardait sur la rive, les avait précipités dans le malheur. Elle lui décrivit aussi la peine et les tourments que supportaient ses frères à cause de cela : c'était parce qu'ils n'avaient plus leurs chaînes que ses frères avaient perdu leur forme humaine, qu'ils étaient devenus cygnes et qu'ils souffraient d'aussi cruels tourments. Elle lui raconta enfin comment ils étaient venus s'établir au pied du château parce qu'ils avaient trouvé l'étang très beau.

La vieille marâtre, qui était si envieuse et si pleine de fourberie, celle qui connaissait bien, pour en être la source, tous les malheurs arrivés aux enfants, se trouvait dans la grande salle où la fillette racontait son histoire à son père devant tout le monde. Le serviteur qui, lui aussi, savait toute la vérité, entendit le récit. Tout en écoutant la fillette, il leva les yeux vers la vieille marâtre. Celle-ci, qui y avait aussi prêté attention, fit la même chose. Tous les deux se sentent très mal à l'aise car ils se savent coupables de tout. Et ils savent bien que ce que la fillette raconte n'est pas le fruit de son imagination. A cause de la peur et de la honte qui leur tourmentaient la conscience, ils changeaient de couleur en se regardant. S'ils avaient été soupçonnés, ils auraient bien vite été découverts. Mais personne ne les soupçonnait et, de ce fait, personne ne s'en aperçut.

Si déguisé qu'il soit, un bienfait ou un méfait finira toujours par être découvert au grand jour. Dieu sait tout ; Il voit tout et entend tout. Avec une infinie patience, Il supporte bien des choses et attend, et, bien qu'Il attende parfois longtemps, Il récompense toujours largement celui qui fait une bonne action. Mais s'Il attend encore plus longtemps avant de punir le mal, c'est parce que Sa miséricorde est extrême. Mais si la punition n'est pas immédiate, Il n'en pardonne pas pour autant. Il sait punir les méchants au moment où Il l'a décidé. Dieu punit toujours celui qui a péché de son méfait. Même s'il a été longtemps caché, le méfait finira par être révélé au grand jour. La méchanceté et les méfaits se dénoncent d'eux-mêmes. Dieu voulut que fût révélé ce qui avait été caché pendant sept ans.

La vieille marâtre fut tout éperdue quand elle entendit le récit de la fillette. Elle se sentit envahir par le dépit et la rage. Elle pensait que si elle le pouvait, elle ferait tuer la fillette. Elle appela sur-le-champ le serviteur qui avait lui aussi entendu le récit. Elle l'effraya tant qu'il lui promit de tuer la fillette sans plus attendre si l'occasion se présentait.

Un jour, la fillette, qui ignorait ce qui se tramait contre elle, descendait tranquillement du château. Elle voulait aller retrouver ses frères ainsi qu'elle en avait l'habitude. Le serviteur l'avait suivie. Au moment où la jeune fille descendait vers l'eau, le serviteur bondit vers elle en brandissant son épée nue. Quand elle vit l'épée, elle fut prise d'une grande peur ; elle se mit à fuir, poursuivie par le serviteur qui la serrait de près. Mais voici que par aventure arriva au grand galop le seigneur du lieu, qui, tout seul, venait dans cette direction. Le serviteur avait l'épée à la main ; le seigneur lui barra la route, lui arracha l'épée des mains et, du plat de la lame, il lui en donna un grand coup. Il sauva ainsi d'une mort certaine la fillette qui tremblait de peur. Quand le serviteur reconnut son maître, il se crut perdu. Le seigneur s'avança vers lui et lui ordonna de lui dire la vérité et surtout pourquoi il voulait ainsi ravir la vie à la fillette. Le serviteur fit une bien triste mine ; il lui avoua toute la vérité et lui raconta tout ce qui s'était passé depuis le début. Il lui raconta tout en détail : comment les enfants étaient nés, comment ils furent abandonnés dans les bois, comment il leur déroba leurs chaînettes d'or, pourquoi enfin il voulait tuer la jeune fille. Et il jura, sur le péril de son âme, que tout cela lui avait été ordonné par sa maîtresse.

Quand le seigneur entendit parler de sa mère en ces termes, il fut grandement courroucé. Il ramena le serviteur au château. Dans la grande salle dallée et devant tout le monde, il se dirigea vers la vieille fourbe qui n'était que perfidie et méchanceté. Il ne la salua pas ; tout au contraire, il sortit l'épée du fourreau et lui ordonna de lui avouer la vérité. Quand elle vit l'épée, elle eut grand-peur pour sa vie : elle lui avoua tout. Le châtelain lui dit alors qu'il voulait qu'on lui donnât les chaînes d'or. Elle lui répondit :

« Cher fils, grâce ! Au nom de Dieu, si telle est ta volonté, tue-moi. Mais si tu me tues, tu commettras un grave péché. Les chaînes sont perdues à jamais car j'en ai fait faire une coupe. Tu peux bien me tuer et me mettre en pièces, tu auras la coupe mais, si l'orfèvre m'a dit la vérité, tu n'auras jamais les chaînes ; il est impossible qu'elles soient rendues ! »

Le seigneur fit venir l'orfèvre et, avec beaucoup de gentillesse, il lui demanda de lui dire la vérité à propos des chaînes. Celui-ci ne mentit pas ; il reconnut qu'il les possédait encore et il ajouta qu'il n'avait jamais pu les réduire ni par le feu ni par le marteau et que, de ce fait, il n'avait jamais pu en faire quoi que ce soit. Il les rendit au châtelain qui n'était pas un ingrat car il le récompensa largement. Le châtelain les prit et les remit à la fillette qui en éprouva une joie immense.

Du plus vite qu'elle le put, elle courut vers l'étang. Quand les cygnes la virent arriver, ils voletèrent vers elle. Elle les prit dans ses bras et les embrassa puis elle rendit à chacun sa chaîne. Tous reprirent leur forme humaine sauf un qui était celui dont la chaîne avait eu un anneau brisé par l'orfèvre. Pour cette raison il lui fut absolument impossible de redevenir homme et ce, quoi qu'on y fît, pour le restant de ses jours. Mais dès cet instant il tint compagnie à l'un de ses frères et l'accompagna partout. Personne ne doit en douter : il resta toujours cygne mais celui qu'il accompagna fut célèbre. Il devint un chevalier remarquable. Il était dit que son nom resterait dans les mémoires car il est entré dans la légende et c'est une légende admirable et vraie : c'est lui qui fut le Chevalier au Cygne, qui était aussi sage que preux, et le cygne qui avait au cou des chaînes d'or avec lesquelles il tirait la nef où se tenait le chevalier tout armé, était en vérité son frère. Ce chevalier, qui fut si courtois et témoigna de tant de belles qualités, eut en fief le duché de Bouillon.

Tous ceux du château furent très joyeux et ils manifestèrent largement leur joie. Les enfants connurent enfin leur père et lui, du même coup, découvrit ses enfants. Sans une minute de plus, ils allèrent vite déterrer la fée qui avait supporté un si terrible martyre. Ils lui prodiguèrent leurs soins et la vêtirent richement. On s'employa tant à la servir et à l'honorer qu'elle retrouva bien vite ses couleurs. Elle était très belle de corps et elle avait un visage avenant. Le seigneur l'aima plus que jamais encore il ne l'avait aimée.

La vieille marâtre malfaisante, cruelle et perfide était fort attristée, contrite et dolente. Elle demanda grâce à son fils et le supplia. Elle lui dit qu'il n'avait pas le droit de tuer sa mère. Mais celui-ci lui répondit qu'il ne savait pas si elle était sa mère car il ne croyait pas que si elle l'avait été, elle aurait commis un tel méfait. Et il ajouta qu'elle pouvait bien être sa mère, sur l'âme de son père, il ne l'en tiendrait pas quitte pour autant et qu'il la ferait enfouir toute nue dans le sol, comme l'avait été la fée, et ce pour le restant de ses jours. Jamais, aussi longtemps qu'elle aurait à vivre, on ne la ressortirait de là, même si elle devait en devenir infirme. A peine eurent-ils retiré la fée qu'ils enfouirent la vieille à la place. Ils lui firent supporter le même martyre que celui que la fée avait connu. Elle se retrouva ainsi dans la fosse qu'elle avait fait creuser pour autrui. Elle y fut enterrée et ce ne fut que justice.

Li Romans de Dolopathos, publié par Ch. Brunet et A. de Montaiglon, Paris, Jannet, 1856, Bibl. Elzévirienne, pp. 317-346.

Ce conte moral illustre d'une certaine manière la lutte du Bien et du Mal, du Ciel et de la Terre : un jeune seigneur épouse une fée, être qui appartient à l'Autre Monde merveilleux de la mythologie celtique ; de ce mariage, naissent sept enfants qui doivent à leurs parents d'appartenir aux deux mondes et d'être, par là même, une image de la perfection. Mais la vieille mère du seigneur, qui appartient au monde terrestre du quotidien et joue en quelque sorte le rôle de la méchante sorcière, par jalousie et peur de perdre son pouvoir, tente de dresser son fils contre sa femme-fée et de faire disparaître les enfants. Elle représente les forces du Mal liées à la Terre qui refusent de laisser s'installer le rêve, le merveilleux et le bonheur liés aux forces du Bien venues du Ciel. Et le conte rapporte les événements qui vont permettre au seigneur, grâce bien souvent à une heureuse providence, de retrouver ses enfants, de reconstituer sa famille et de punir la méchante marâtre. Ainsi le merveilleux lié au Bien a-t-il toujours raison des forces obscures du Mal liées à la Terre (voir le commentaire détaillé, pp. 214-216).

Le chevalier au barisel

Conte pieux du XIIIe siècle

Entre Normandie et Bretagne, en une terre très lointaine, demeurait jadis un homme très puissant dont la renommée était grande. A la limite de la terre bordée par la mer, il avait fait construire un château fort si bien garni de créneaux et de meurtrières, si solide et si bien armé, qu'il ne craignait ni roi, ni comte, ni duc, ni prince, ni vicomte. Et ce puissant seigneur dont je vous parle, était, à ce que j'ai entendu dire, fort beau de corps et de visage, riche d'avoir et de grand lignage[1]. A voir son visage, on aurait pu croire qu'au monde il n'y avait personne de plus noble et de plus généreux que lui. Mais il était félon[2] et déloyal, et si hypocrite et si fourbe, si fier et si orgueilleux, et de plus si cruel, qu'il ne craignait ni Dieu ni homme. Pour tout dire en un mot, il avait ravagé et mis en cendres tout le pays autour de son château. Il ne pouvait avoir un vassal sans lui faire du tort et le déshonorer. Le désir du mal était trop fort en lui. Il surveillait de très près tous les chemins et tuait tous les pèlerins et dévalisait tous les marchands ; de beaucoup il fit des malheureux. Il n'épargnait ni abbé, ni moine, ni reclus[3], ni ermite, ni

---

1. Le *lignage*, terme formé sur *ligne*, désigne au Moyen Age la famille. Être de grand lignage, c'est appartenir à une famille de grande noblesse.
2. Traître, hypocrite et méchant.
3. Le *reclus* est un religieux qui vit enfermé dans un cloître.

chanoine et quant aux religieuses et aux frères convers[1],
plus ils étaient attachés à Dieu, plus il les faisait vivre
dans la honte quand ils étaient à sa merci, et il en
était de même pour les dames et les jeunes filles, pour
les veuves et les servantes. Il n'épargnait ni riche ni
pauvre, ni sage ni sot. Il n'était pas un jour où il ne
les pourchassât pour les maltraiter honteusement. Il
en outragea tant que je n'en sais plus le compte.
Jamais il ne voulut prendre femme car il aurait cru
trop s'abaisser. S'il avait vécu avec une femme, il
aurait pensé en être méprisé. En tout temps il voulait
manger de la viande ; pour rien au monde il n'aurait
voulu s'en priver un seul jour, ni le vendredi, ni pour
le Carême, ni aucun jour de la semaine. Il ne se
souciait pas d'entendre la messe, ni les sermons, ni les
Évangiles. Il honnissait[2] tous les honnêtes gens. Je ne
pense pas qu'un homme ait jamais été d'une nature
aussi mauvaise et méchante. Imaginez toutes les
méchancetés que l'on peut faire en paroles, en actes et
en pensée : toutes il les avait trouvées et accomplies.
Il vécut ainsi plus de trente ans sans se lasser de ses
méchancetés. Ainsi le temps s'écoula et il arriva que
pendant un carême, juste le jour du Vendredi saint,
celui qui n'était nullement enclin à penser à Dieu, se
leva de très bon matin et ordonna à ses cuisiniers
dans sa langue drue :

« Préparez vite ces venaisons[3] car il est temps de
manger. Je voudrais manger de bonne heure, après
quoi nous irons rapiner[4]. »

Les cuisiniers en furent tout ébahis, mais, comme
des gens qui n'osaient pas le contredire, ils lui répondirent tristement :

« Nous ferons selon votre volonté, Sire. »

Quand ses chevaliers, qui portaient plus de respect
à Dieu, l'entendirent, ils lui répliquèrent sur-le-champ :

1. Le *frère convers* est un moine qui, dans les monastères, se
consacre aux travaux manuels, par exemple le jardinage.
2. Méprisait, détestait.
3. Viande de gibier (cerf, chevreuil, sanglier).
4. Voler en exerçant des violences.

« Malheureux mécréant[1], qu'avez-vous dit ? Nous sommes entrés dans le saint temps du Carême et c'est aujourd'hui le grand Vendredi où Dieu souffrit la Passion pour notre rédemption : aujourd'hui, tout le monde doit jeûner et vous, vous voulez déjeuner et manger de la viande pour votre malheur ! Tout le monde est en prières, en jeûne et en abstinence ; même les enfants font pénitence et vous voulez aujourd'hui manger de la viande ! Dieu a de bonnes raisons pour se venger de vous et certes, il n'y manquera pas !

— Par ma foi, fait-il, le moment n'est pas encore arrivé ; auparavant j'aurai encore accompli beaucoup de méfaits, défait, tué et pendu bien des hommes !

— Trouvez-vous un apaisement, font-ils, à faire tant de dépit à Dieu ? Misérable brigand sans foi, vous n'avez jamais eu un jour de répit ! Vous devriez maintenant, sans attendre, dénoncer et regretter amèrement les péchés dont vous avez l'âme entièrement noircie.

— Pleurer, fait-il, quelle est cette plaisanterie ? Je n'ai cure de telles obligations. Mais vous, pleurez, et moi, je rirai car, certes, jamais je n'en pleurerai.

— Sire, font-ils, en un mot, il y a dans ce bois un très saint homme auprès duquel les gens vont se confesser lorsqu'ils veulent mettre fin à leur mauvaise conduite. Allons-y, confessons-nous et renonçons à nos méchancetés. Il ne faut pas toujours faire le mal ; il faut à un certain moment revenir vers Dieu.

— Se confesser, dit-il, par tous les diables, vais-je encore longtemps entendre de telles idioties ! Maudit soit celui qui ira dans une telle intention ou qui même dirigera ses pas dans cette direction ! Mais si cet ermite avait quelque chose à perdre, j'irais bien pour le lui ravir, car sans cela je n'irai pas !

— Venez-y pour nous tenir compagnie. Sire, font-ils, y viendrez-vous ? Ayez cette bonté pour nous.

— Pour vous, fait-il, j'irai, car pour Dieu je ne ferai

---

1. Mot formé sur *mes-croire* qui est le contraire de *croire*. Incroyant, infidèle, homme sans foi.

jamais rien. C'est la seule envie de vous accompagner qui m'y fait aller. Qu'on amène mon cheval ! Je vais aller avec ces bigots. Je préférerais aller chasser deux malheureux canards, voire pêcher deux tout petits poissons, plutôt que d'assister à leurs confessions mais j'irai pour me moquer d'eux. Quand ils se seront fait confesser, nous irons piller en quelque endroit : c'est la confession du renard à l'écoufle[1] ; une telle confession s'oublie à la première occasion !

— Sire, font-ils, montez donc à cheval et que ce Dieu qui jamais ne mentit fasse de vous selon sa volonté et vous donne une vraie humilité.

— Par ma foi, fait-il, qu'il ne m'arrive jamais de ressentir de l'humilité ou de devenir miséricordieux et secourable car alors jamais plus je ne serai craint. »

Alors ils se sont mis en chemin. Celui qui était habité par Satan chevauchait derrière les autres en chantant et ceux-ci avançaient en pleurant. Ses hommes allaient devant lui et il n'arrêtait pas de leur dire des choses désagréables et de les harceler de ses moqueries et ceux-ci, comme pour l'apaiser, acquiesçaient à ses dires. Ils chevauchèrent tant et si bien en suivant le sentier forestier qu'ils arrivèrent sans retard à l'ermitage. Ils entrèrent dans l'église et y trouvèrent le saint homme. Mais leur seigneur, qui était cruel, fourbe et orgueilleux, et plus coléreux qu'un chien enragé ou un loup-garou[2], était resté dehors. Il fixe orgueilleusement ses pieds, prend solidement appui sur ses étriers et se cale sur sa selle.

« Sire, lui disent-ils, descendez, venez avec nous, repentez-vous et venez solliciter la miséricorde divine.

— Je ne bougerai pas d'ici, répondit-il. Pourquoi prierais-je Dieu alors que je suis décidé à ne rien faire pour Lui ? Mais expédiez rapidement votre affaire, car je n'ai rien à y voir. Je vois bien que ce temps perdu va me gâter toute la journée. En ce moment, les

1. Oiseau de proie comme le milan.
2. Animal fabuleux réputé pour sa férocité sanguinaire. Il s'agit souvent d'un homme qui a le pouvoir de se transformer en loup.

pèlerins et les marchands que je devrais détrousser cheminent sans encombre sur les routes et ils s'en iront sans dommage. Par Dieu, cela me contrarie ! Par saint Rémi, j'aurais préféré que vous ne vous fussiez jamais confessés plutôt que de les laisser partir en paix. »

Ses chevaliers voient bien qu'ils n'en tireront pas autre chose ; ils entrent dans l'église et se dirigent vers l'autel pour parler au saint ermite. Chacun se confesse du mieux qu'il le peut et le plus brièvement possible. Il leur donne l'absolution avec simplicité mais à la condition qu'ils se gardent chaque jour, autant qu'ils le pourront, de faire le mal. Ceux-ci le lui promettent avec humilité, après quoi ils lui demandent gentiment :

« Maître, notre seigneur est resté là devant. Pour l'amour de Dieu, appelez-le, car il refuse absolument de venir, quoi qu'on lui dise. Mais il pourrait bien se faire, s'il voyait votre personne et votre saint comportement, qu'il accepte de venir sur votre prière. Celui qui, par ses paroles ou ses actes, pourrait l'attirer vers le bien n'aurait pas perdu son temps. Ce matin, dès son réveil, il voulait à tout prix manger de la viande. Il nous attend ici sous le porche, mais il refuse d'entrer malgré nos prières. Mais nous pensons qu'il accédera à la vôtre.

— En vérité, seigneurs, je n'en suis pas sûr. Je veux bien essayer, mais je le vois bien méfiant. »

Le faible vieillard se dirige donc vers le seigneur en s'appuyant sur son bâton et lui dit d'une voix presque inaudible :

« Sire, soyez le bienvenu. Aujourd'hui on doit laisser de côté toute méchanceté, se repentir et se confesser et penser humblement à Dieu.

— Alors pensez-y ! Qui vous en empêche ? Pour ma part, je ne m'en soucierai pas. »

Le saint homme entend ses propos mais n'en ressent aucune colère ; avec douceur, il commence à lui dire :

« Descendez de cheval, mon doux seigneur. Puisque vous êtes chevalier, vous devez avoir un noble cœur ;

je suis prêtre et je vous prie, au nom de Celui qui se sacrifia pour nous en mourant sur la croix, de parler un peu avec moi.

— Parler ? Diable ! Moi ? Et de quoi ? Qu'avez-vous à partager avec moi ? Je suis pressé de vous quitter, vous et votre demeure. Je préférerais me mettre en quête d'un gras oison.

— Sire, je le crois volontiers. Ne faites donc rien pour moi mais seulement pour Dieu.

— Vous êtes un bien habile avocat, fait le seigneur, mais même si j'y allais, je ne ferais ni bien, ni prière, ni aumône, ni oraison.

— Vous viendrez visiter notre maison, notre chapelle et notre couvent.

— Bon, j'irai, fait-il, mais à la condition expresse de ne faire aucune aumône et de ne dire aucune patenôtre[1].

— Sire, venez et si cela ne vous plaît pas, vous reviendrez.

— Vous ne cesserez pas de m'importuner aujourd'hui ! »

Alors il met pied à terre de fort mauvais gré.

« Allons-y, fait-il. Quelle triste idée d'être venu là aujourd'hui ! C'est bien pour mon malheur que je me suis levé aussi tôt ce matin ! »

Le saint homme le prit par la main et l'entraîna doucement vers la chapelle jusque devant l'autel.

« Sire, dit-il, vous ne pouvez faire autrement : maintenant vous êtes mon prisonnier. Ne le tenez pas pour un outrage, il vous faut me parler. A moins de me faire couper la tête, vous ne m'échapperez pas, quoi que vous puissiez faire, avant de m'avoir raconté votre vie. »

Celui qui était plein de félonie et de méchanceté lui répondit :

« Je n'en ferai certes rien. Et s'il le faut, je vous

---

1. Terme formé sur *Pater noster* et qui désigne une prière en général.

tuerai car jamais vous n'entendrez un seul mot de ma bouche. Laissez-moi partir librement.

— Sire, dit-il, vous ne partirez pas et, si cela vous plaît, vous me raconterez votre vie et tous les péchés dont vous êtes si entaché. Je veux tout connaître de vous.

— Certainement pas, sire prêtre ; jamais vous ne connaîtrez ma vie et mon état. Je ne suis pas assez soûl, pour vous raconter quoi que ce soit !

— Non pas pour moi ; mais dites-les-moi pour le Dieu de majesté et je les entendrai.

— Jamais, fait-il, je ne m'en mêlerai. M'avez-vous amené ici dans cette intention ? Peu s'en faut que je ne vous tue : le monde serait débarrassé de vous. Ou vous êtes fou ou vous êtes ivre, pour vouloir tout savoir sur moi et encore plus pour vouloir, à tout prix, me le faire dire de force ! Certes vous êtes bien prétentieux de vouloir me faire avouer de force des fautes dont je n'ai rien à faire !

— Ainsi ferez-vous, bel ami, et que Dieu qui fut mis en croix vous pousse à une vraie pénitence et vous donne tant de repentir que vous preniez conscience de vos péchés. Je vous écoute : maintenant commencez ! »

Alors le tyran, qui était félon et ne songeait qu'au mal, le regarde fixement. Le saint homme eut grand peur, s'attendant à tout moment à être frappé, mais il risque tout, se rappelant des leçons de l'Évangile, et lui dit avec douceur :

« Frère, dites-moi seulement un seul péché ; si vous aviez seulement commencé, je sais bien que Dieu vous aiderait à revenir sur le droit chemin.

— Jamais vous n'en entendrez un seul.

— Si !

— Non !

— Comment ! Vous ne me direz rien et vous vous refuserez à avoir un bon geste ?

— Non. Vous mourrez avec ce chagrin car jamais vous ne m'entendrez avouer un seul péché.

— Eh bien, si ! Quoi qu'il en coûte, s'il le faut je vous retiendrai jusqu'à la nuit mais j'apprendrai quelque chose. A la fin du compte, je vous répète que c'est aujourd'hui le jour où Dieu se sacrifia pour nous et mourut sur la croix. Je vous conjure, au nom de cette mort qui a mis fin au règne de Satan, au nom des saints, des saintes et des martyrs, de n'avoir plus un cœur aussi dur et je vous demande, dit l'ermite, de me dire tous vos péchés. N'attendez plus.

— Décidément, vous allez réussir à m'y contraindre ! » fit le seigneur vaincu.

Il en était si surpris et si mécontent qu'il en devint tout honteux :

« Comment diable avez-vous fait pour que, par force, il me faille tout raconter ? Puisqu'il ne peut en être autrement, bien malgré moi, je vous les dirai mais je ne ferai rien de plus. »

Alors avec un grand dépit, il commence à dire tous ses péchés à la file ; un par un il les raconta tous sans rien omettre. Quand il eut fini sa confession, il interpella le saint ermite.

« Maintenant je vous ai raconté tous mes faits : êtes-vous satisfait ? Maintenant êtes-vous plus avancé ? Je pense que jamais vous ne m'auriez laissé en paix si je ne vous avais raconté absolument tout ce que j'ai fait sur cette terre. Maintenant j'ai tout dit. Que va-t-il en résulter ? Me laisserez-vous enfin en paix ? Maintenant je peux bien partir. Jamais je n'ai cherché à vous parler ni à vous voir de mes yeux. Vous m'avez vaincu sans blessure, vous qui m'avez fait parler de force. »

Le saint homme n'avait aucune envie de rire ; au contraire, il se mit à pleurer du fond du cœur de ce que ce dernier ne se repentait pas.

« Sire, lui dit le saint homme, vous avez bien tout dit jusqu'au bout, mais sans vous en repentir. Si vous vouliez maintenant faire pénitence, vous m'apaiseriez un peu.

— Vous me récompensez bien, fait le chevalier, en voulant faire de moi un pénitent ! Maudit soit celui qui s'en soucie ou qui voudrait que je le sois ! Et si je voulais faire pénitence, laquelle me donneriez-vous !

— Celle que vous voudriez.

— Dites-le !

— Volontiers, sire. Pour l'absolution de tous vos péchés, vous jeûnerez pendant quelque temps... les vendredis pendant sept ans...

— Sept ans ! fait-il. Pas même trois ! Et pas même les vendredis d'un seul mois ! Taisez-vous ; je n'en ferai rien. C'est une chose que je ne pourrai jamais faire.

— Alors allez pieds nus pendant une seule année.

— Je n'en ferai rien, par saint Abraham !

— Portez un vêtement de bure, sans chemise.

— Ma peau serait vite en lambeaux et couverte de vermine.

— Alors, mortifiez-vous[1] chaque matin avec une verge.

— Voilà une bien mauvaise idée : je ne pourrais supporter cela et encore moins frapper et déchirer mes chairs.

— Alors, allez en Terre sainte.

— Voilà une parole bien dure ! Taisez-vous, c'est peine perdue car la mer est trop dangereuse.

— Allez à Rome ou à Saint-Jacques.

— Sur mon âme, il n'en est pas question !

— Allez chaque jour à l'église et écoutez le service divin. Agenouillez-vous et dites deux oraisons, le *Pater noster* et un *Ave*, pour que Dieu vous accorde le salut de votre âme.

— Cela demanderait trop d'efforts. Toutes ces histoires n'avancent à rien et certes, je ne ferai rien.

— Comment ? Vous ne ferez nul bien ? Si, vous en ferez un, s'il plaît à Dieu et si vous le voulez bien, avant de nous quitter. Je ne vous demande simplement, au nom de Dieu le Tout-Puissant, que de porter mon petit baril d'ici jusqu'au ruisseau. Vous le plon-

---

1. La pratique des mortifications consiste à se frapper, se blesser volontairement pour s'humilier et exprimer son repentir.

gerez dans le ruisseau — cela ne vous causera aucune peine — et si vous me le rapportez plein, alors vous serez absous de vos péchés et quitte de pénitence ; vous n'aurez plus rien à redouter car je prendrai tous vos péchés sur moi. Voilà la pénitence que je vous donne. »

En l'entendant, le seigneur se mit à rire dédaigneusement puis il lui répondit : « Cela ne me causera pas une grande peine d'aller jusqu'à cette source et la pénitence sera tôt faite ! J'accepte, quoi que j'en pense. »

Le saint homme lui tend le petit baril et le chevalier, de l'air de quelqu'un qui n'y attache aucune importance, s'en saisit vivement :

« Je le prends, fait-il, avec la promesse de ne pas prendre de repos avant de vous le rapporter plein.

— Et je vous le demande ainsi, ami. »

Alors le chevalier se met en chemin ; ses hommes veulent le suivre, mais il sait fort bien s'en débarrasser.

« Par ma tête, fait-il, personne n'y viendra. »

Il est vite arrivé à la source et il y plonge entièrement le baril mais pas une goutte d'eau n'entre à l'intérieur bien qu'il le tourne dans tous les sens. Peu s'en faut qu'il n'en perde le sens. Il commence alors à se mettre en colère et jure effroyablement car il croit que l'ermite l'a bouché. Il y entre un bâton mais il le trouve parfaitement vide. Celui qui a le cœur rempli de fiel[1] le replonge avec colère dans la source pour le remplir mais pas une seule goutte d'eau n'y entre.

« Morbleu ! Est-ce que cela va durer longtemps ? N'y entrera-t-il rien ? »

Alors il replongea de nouveau le baril dans le ruisseau mais, dût-il en perdre la tête, il ne réussit pas à faire entrer la moindre goutte d'eau à l'intérieur. Alors le chevalier qui grince des dents de contrariété, se relève avec colère et revient à l'ermitage. Il raconte son aventure à l'ermite et à ses hommes et leur certifie :

1. Méchanceté, rancœur.

« Par tous les saints, je ne rapporte pas une goutte d'eau et pourtant j'y ai mis toute ma bonne volonté. Mais quoi que je fasse, je n'ai pas su faire en sorte qu'en plongeant le baril dans l'eau, il entre la moindre goutte à l'intérieur. Mais par mon âme, je n'aurai pas un moment de repos et ne m'arrêterai ni jour ni nuit avant de le rapporter plein. »

Il appelle l'ermite :

« Vous m'avez plongé dans un grand tourment avec votre baril du diable. C'est par malheur qu'il a été fabriqué car, à cause de lui, je vais supporter une si grande peine que je n'aurai jamais de repos, ni d'aise, ni de bien-être, de nuit comme de jour, et jamais je ne me laverai le visage, ne me couperai les cheveux, ne me raserai ni ne me taillerai les ongles avant d'avoir rempli mon engagement. Et je m'en irai à pied et sans argent, sans un seul denier, sans pain et sans nourriture dans ma besace. »

L'ermite l'entend et il en pleure de compassion[1] :

« Frère, fait-il, c'est pour votre malheur que vous êtes né. Et votre vie est bien dure ! Certes, si un enfant l'avait mis dans le ruisseau et enfoncé, il l'aurait rempli entièrement. Et vous n'y avez pas même fait pénétrer une goutte d'eau ! Malheureux, c'est pour vos péchés que Dieu s'est mis en colère à votre égard. Maintenant Il veut, dans sa miséricorde, que vous fassiez pénitence et que votre corps soit tourmenté pour Lui. Ne sombrez pas dans la folie, servez Dieu avec humilité. »

Et le chevalier répond avec colère :

« En vérité, je ne le fais pas pour Dieu, mais plutôt par entêtement, par colère et par rancœur. Ce n'est ni pour Dieu, ni pour qui que ce soit. »

Puis, fièrement, il ordonne à ses hommes :

« Partez vite et ramenez mon cheval. Dans vos fiefs[2], si quelqu'un vous parle de moi, ne répondez

---

1. Sentiment qui porte à plaindre et à partager les douleurs des autres.
2. Le *fief* est le château et les terres que possède en propre un seigneur.

pas, ni un seul mot, ni quoi que ce soit. Tenez-vous
tranquilles et restez cois[1]. Vivez selon votre bon
plaisir. Quant à moi, je suis celui qui n'aura pas un
seul jour sans peine et sans tourments à cause de ce
diable de baril que je voue au feu de l'enfer ! Ce sont
les démons qui l'ont eu en garde et qui, je crois, l'ont
enchanté. Mais je vous jure que s'il le faut, je cherche-
rai partout, dans toutes les eaux du monde, mais je le
rapporterai plein ! »

Alors il se met en chemin sans plus attendre ; il est
sorti par la porte, le baril au cou. Et sachez qu'excepté
les vêtements qu'il portait, il n'avait pas sur lui la
valeur de quatre fétus[2]. Il partit tout seul ; il n'y avait
que Dieu pour l'accompagner.

Sachez maintenant combien sera longue son errance
et quelles privations il supportera nuit et jour, et soir
et matin. Puisqu'il chemine dans des pays étrangers et
hostiles, il aura peu de plaisirs mais plutôt des lits
durs et de maigres repas, peu de pain et une pitance
froide. La pauvreté sera souvent sa compagne ; il aura
beaucoup de peine et de tourments. Il franchit les
montagnes et les vallées ; à chaque source qu'il trouve,
il plonge son baril et l'éprouve. Mais rien ne lui réussit
car il ne ramasse pas une goutte d'eau et toujours il
entre dans une violente colère. Pendant la moitié
d'une semaine, il ne décolère pas ; il en oublie de
manger et n'en ressent pas même le désir. Par dépit,
il joue son va-tout ; et quand il voit que la famine
l'assaille et qu'il ne peut s'en défendre, il lui faut
vendre sa robe et l'échanger, dût-on en rire, contre
une pauvre loque usée et hideuse et bien honteuse
pour un tel homme. Elle n'avait ni manches ni
capuche. Il poursuit son errance sous la pluie et le
vent. Son visage, qui était frais et rose, devient vite
brun et brûlé par le soleil. Dans chaque source qu'il
rencontre, il plonge son petit baril et l'éprouve de

1. Restez silencieux, ne parlez pas.
2. Un fétu est un brin de paille, donc, ici, quelque chose qui n'a
aucune valeur.

nouveau et le replonge mais il ne peut y faire entrer une goutte, quoi qu'il puisse faire, et il en souffre et il endure sa peine. Ses chaussures ont peu duré ; elles ont vite été en pièces et usées. Pieds nus, il a traversé maintes vallées et maintes montagnes. Il erre sous le froid glacial, il erre sous le soleil brûlant. Il traverse des régions sauvages et désertes ; il va à travers les ronces et les épines. En maints endroits, sa peau est déchirée ; le sang en coule par maints filets. Maintenant il vit dans la douleur et les tourments ; il a de mauvais jours et de mauvaises nuits ; il est pauvre et il mendie ; il doit endurer des insultes et des coups. Il n'a ni robe ni château et il ne peut trouver de logis. Au contraire, il se heurte à des gens fermés et réticents, durs et cruels, qui, parce qu'ils le voient si dénué de tout, si grand, si fort, si bien bâti et si laid, si sale et si hâlé par le soleil, déguenillé et les jambes ensanglantées, craignent les uns et les autres de l'héberger. Aussi dort-il souvent dans les champs. Il avait perdu toute gaieté et était rongé par la colère et le dépit. Mais je peux vous affirmer que jamais il ne tenta de faire preuve d'humilité et de ramollir la dureté de son cœur ; il se bornait à se plaindre à Dieu des grands malheurs qui l'accablaient mais c'était en orgueilleux et non pas en pénitent. Quand il eut dépensé ce que lui avait rapporté la vente de ses vêtements, il ne sut plus où trouver du pain. Maintenant il lui fallait par force apprendre à mendier s'il voulait manger. Maintenant les aises que son pouvoir lui donnait sont finies et jamais, aussi longtemps qu'il vive, il ne vivra dans l'opulence mais plutôt bien chichement. Souvent, il jeûne deux ou trois jours et quand son corps est si affligé qu'il ne peut plus supporter la faim, il va mendier avec dépit un morceau ou quelques miettes de pain.

Il erra longtemps ; il chercha à travers tout le Poitou, le Maine, la Touraine et l'Anjou, la Normandie, la France[1] et la Bourgogne, la Provence, l'Espagne et la

1. L'Ile-de-France.

Gascogne, la Hongrie, la Savoie ; il chercha dans les
Pouilles, la Calabre et la Toscane, en Allemagne et en
Roumanie et dans toutes les plaines de Lombardie, en
Lorraine et en Alsace. Partout il alla. Je ne sais que
vous en dire de plus : je n'aurais pas assez de la
journée pour vous conter tous les malheurs et les
tourments qu'il endura. Mais pour tout vous dire en
un mot, depuis la mer d'Angleterre qui borde ces pays
jusqu'à Barietta au bord de l'Adriatique, je ne saurais
nommer un pays qu'il n'ait parcouru et fouillé, ni une
rivière qu'il n'ait testée, ni un lac, ni un vivier, ni un
ruisseau, ni une fontaine, une eau dormante ou une
eau courante où il n'ait plongé son barisel. Mais il n'a
pas puisé la moindre goutte. Jamais la moindre goutte
n'est entrée dans le barisel, quoi qu'il fasse, et pourtant il y a porté tous ses efforts. Chaque jour sa colère
augmente. Et dans cette grande peine qui l'accablait,
une chose le bouleversait : jamais il ne parvint en un
lieu où il trouvât quelqu'un qui eût pour lui une parole
agréable ou lui fît du bien par charité ; au contraire,
tout le monde le hait, l'insulte et le maltraite. Personne
ne lui adressa jamais autre chose que des paroles
infamantes[1] ; mais que ce soit dans les champs, dans
les bois ou dans une maison, quelles que soient les
injures qu'on lui lançait, il ne voulut chercher querelle
à personne car il n'avait d'estime pour personne et
n'éprouvait que dédain et haine pour le monde entier.

Que vous dirais-je de plus ? Il marcha tant, ici et là,
son corps était si décharné, si émacié, maigre et
brûlé par le soleil qu'on ne l'aurait reconnu qu'à
grand-peine même en l'ayant jadis fréquenté. Il avait
des cheveux longs et emmêlés qui tombaient en
broussaille jusque sur ses épaules ; le front, le visage
et les joues, il les avait noirs comme de la couenne.
Son cou, habituellement gros, était long et si maigre
qu'on voyait les os. La faim avait fait pousser son
poil ; il avait les sourcils épais et les yeux enfoncés ;
les bras longs et maigres et brûlés par le soleil

---

1. Méchantes et déshonorantes.

jusqu'aux épaules. On voyait ses flancs et sa peau était
si tendue sur les os que ses côtes apparaissaient toutes ;
il avait les cuisses et les jambes nues, noires, grêles et
menues ; des orteils jusqu'aux aines, ses nerfs et ses
veines apparaissaient. Jusqu'aux hanches, il n'avait
plus le moindre lambeau de vêtement et sa peau était
noire et hâlée. En plus d'être aussi changé, il était si
faible et si touché qu'il ne se soutenait qu'à grand-
peine. Il lui fallait se retenir à un bâton sur lequel il
s'appuyait pour marcher. Le barisel, qu'il avait porté
sans nul repos pendant un an, nuit et jour, lui pesait
lourdement. Que vous dirais-je encore ? Il vécut pendant toute une année dans cette douleur. C'est merveille qu'il ait survécu aussi longtemps ! Mais il a tant
supporté et tant souffert qu'il voit bien qu'il ne peut
faire plus. La nécessité est reine : il se dit qu'il lui
faut revenir en arrière. Et l'ermite n'en rira pas ; il en
pleurera plutôt, si toutefois il peut le voir. Alors il
reprend la route en s'appuyant sur son bâton. Souvent
il se plaint à voix basse ; mais il rassemble ses forces
avec tant d'opiniâtreté qu'il arrive enfin à l'ermitage.
Au bout d'un an, le jour même où il quitta ce lieu
saint, le jour du Vendredi saint, il revint à l'ermitage
dans l'état que je vous ai décrit. Aujourd'hui vous
entendrez ce qui lui arriva.

Il entra tout dolent. Le saint homme, qui y était
tout seul et qui ne songeait pas à lui, le regarda avec
stupeur, étonné de le voir dans cet état, en loques et
défait. Il ne le reconnut pas mais il reconnut bien le
barisel qu'il portait attaché au cou car il l'avait vu
jadis. Le saint homme l'appela et lui dit :

« Très cher frère, quelle nécessité vous a conduit
ici ? Et ce baril, qui vous le donna ? Je l'ai vu maintes
fois. Il y a aujourd'hui un an, les saints m'en soient
témoins, je le donnai au plus bel homme qui soit en
l'empire de Rome, et au plus fort, à ce que je crois. Je
ne sais s'il est vivant ou mort car jamais, depuis, il
n'est revenu ici. Maintenant dis-moi, je t'en prie, qui
tu es et comment tu t'appelles. Jamais je n'ai vu
d'homme aussi misérable que toi ni aussi dénué de

tout. Si les Sarrasins t'avaient pris, tu ne serais pas plus pauvre ni plus nu. Je ne sais d'où tu viens mais tu as certes rencontré de bien méchantes gens. »

Et le chevalier, qui était encore plein de dépit, lui répondit avec colère et mauvaise grâce :

« C'est vous qui m'avez mis dans cet état.

— Quoi ? Moi ? Et comment, ami ? Je l'ignore car je ne t'ai jamais vu auparavant ! Que t'ai-je fait de mal ? Dis-le-moi et si je le puis, je te ferai réparation.

— Sire, dit-il, je vais vous le dire. Je suis celui que vous confessâtes il y a aujourd'hui un an ; et vous m'avez donné en pénitence votre baril qui m'a conduit à la grande misère que vous voyez. »

Alors il lui raconta tout son voyage, les pays et les contrées, les terres qu'il avait traversés et il lui décrivit les mers et les rivières et les grands fleuves majestueux.

« Sire, lui dit-il, j'ai tout essayé. Partout j'ai plongé le baril et jamais il n'y est entré une seule goutte d'eau. J'y ai usé ma vie car je sais bien que dans peu de temps je vais mourir. Je ne peux vivre plus long-temps. »

Le saint homme l'entendit et en fut vivement contrarié ; laissant percer sa grande douleur, il lui dit :

« Maudit mécréant, tu es pire qu'un sodomite[1], qu'un chien, un loup ou une autre bête. Par ma tête, je crois que si un chien l'avait autant traîné, à travers autant de rivières et de gués, il l'aurait rapporté tout plein. Et toi, tu n'as pas réussi à y faire entrer une seule goutte ! Je vois bien que Dieu te hait. Ta pénitence ne te sert à rien car tu l'as faite sans repentir, sans amour et sans pitié. »

Alors il pleure, gémit et se tord les poings et son cœur est si profondément blessé qu'il s'écrie à haute voix :

« Dieu qui sait tout, peut tout et voit tout, regarde cette créature qui se conduit si mal qu'elle a tout perdu, et son corps et son âme, et gaspillé en vain son temps. Sainte Marie, douce mère, priez Dieu, votre

---

1. Habitant de Sodome, pécheur endurci.

souverain père, qu'il daigne le juger et le contempler de ses yeux divins. Si jamais je fis rien de bon, très doux Seigneur, et qui Vous plût, alors je Vous prie maintenant et ici même, que Vous pardonniez à cette créature qui, par ma faute, est dans une telle détresse. Dieu, ne supportez pas que ses souffrances soient perdues, mais, par Votre grande miséricorde, acceptez-les comme pénitence. Dieu ! S'il meurt par ma faute, il m'en faudra rendre des comptes et ma douleur en sera trop cruelle. Dieu ! Si Tu prends l'un de nous deux, abandonne-moi à l'errance et prends cette créature ! »

Et il se met à pleurer du fond du cœur. Le chevalier l'a longuement regardé sans dire un mot, puis il dit à voix si basse que personne ne l'entendit :

« Certes, je vois là une chose étonnante de quoi mon cœur s'émerveille car cet homme, qui ne m'appartient pas, et ne dépend de moi en rien, cet homme qui n'appartient qu'à Dieu, le souverain Roi, se damne ici pour moi ! Pour mes péchés, il pleure et il gémit. Certes, de tous, je suis le pire pécheur qui soit, et le plus vil, et cet homme prend tant d'intérêt à mon âme qu'il se perd pour mes péchés et moi, qui suis si entaché de crimes, je n'ai pas en moi assez d'amour pour en avoir même pitié et cet homme en est rempli de douleur ! Ah ! Très doux Dieu, si Vous le voulez, donnez-moi tant de repentir, par Votre grâce et Votre miséricorde, que ce prudhomme en soit consolé, lui qui a tant de peine. Dieu, ne souffrez pas que cette douleur soit inutile et vaine pour mon âme. C'est pour mes péchés que me fut confié le barisel, et c'est pour mes péchés que je le pris : très doux Dieu, si j'ai mal agi envers Vous, je plaide coupable. Dieu du Ciel, je Vous en demande pardon. Maintenant que Votre volonté soit faite : Vous me voyez ici tout préparé. »

Et Dieu sur l'heure fait son œuvre : Il ouvre son cœur et le débarrasse de toute méchanceté et de tout orgueil et Il l'emplit d'humilité, d'amour, de repentir, de crainte et d'espérance. Alors son cœur commença à fondre et à s'épancher en larmes par ses yeux ; alors il rejeta loin de lui le monde et ses tentations, et les larmes montèrent de son cœur qui n'avait jamais été aussi ardent au repentir. Il jette de tels soupirs qu'il semble à chaque instant que son âme veuille s'envoler. Son repentir était si grand que son cœur aurait éclaté s'il n'avait pu se soulager dans les larmes. Mais il les laisse couler en telle abondance que c'est merveille. Sa grande douleur lui emplit tellement le cœur qu'il ne peut parler mais, dans le secret de son cœur, il s'est engagé envers Dieu à ne plus jamais pécher et à ne plus jamais mal agir envers Lui. Maintenant Dieu voit bien qu'il se repent. Le barisel qui lui a causé tant d'ennuis pend à son cou, mais il est encore vide et pourtant c'était son désir le plus cher que de le voir se remplir. Et Dieu, qui vit son désir et qu'il voulait sincèrement travailler à son salut, et cela sans hypocrisie, fit alors une noble et belle action et fort courtoise. Ce n'est pas pour la souligner que j'en parle car jamais Il n'accomplit de vilenie ; mais entendez plutôt ce que Dieu fit pour réconforter son nouvel ami : Il fait monter l'eau de son cœur jusqu'à ses yeux avec une grande douleur et une grosse larme s'y forme que Dieu a tirée d'une vraie source, et, comme un trait d'arbalète[1], elle vole tout droit vers le baril. Et la légende nous rapporte que le barisel fut si rempli par cette larme, et jusqu'à ras bord, que le surplus en déborda et se répandit de toutes parts. Cette larme était si brûlante de repentir et si bouillante que de l'écume apparut sur le dessus. Et l'ermite accourut vers lui et se prosterna à ses pieds en les embrassant tous les deux.

« Frère, fait-il, très doux ami, que le Saint-Esprit descende en toi ! Frère, Dieu t'a regardé, Dieu t'a sauvé des feux de l'enfer. Jamais plus tu ne seras entaché par tes péchés : Dieu t'a pardonné. Sois heureux et remets-toi : ta pénitence est faite. »

Alors le chevalier eut une telle joie que jamais, je

---

1. L'*arbalète* est une arme de guerre qui envoie des flèches ou *traits*. C'est un arc perfectionné par un système de manivelles.

pense, on ne vit un homme en ressentir une semblable ; pour tout dire, il en pleurait sans discontinuer.
Il appela le saint ermite et lui transmit ses volontés :
« Père, fait-il, je t'appartiens ; père, tu m'as comblé.
Très doux père, comme volontiers je resterais avec
vous si je le pouvais. Jamais je n'agirais autrement
que pour vous servir et vous aimer. Mais je ne peux
plus vivre ; il me faut endurer la mort. Très doux
père, c'est par la grâce de Dieu que je suis venu ici, il
y a un an, hors de sens et égaré ; très doux père, vous
le savez bien. Je vous ai alors conté tous mes péchés
avec colère et irritation, sans repentir et sans humilité.
Maintenant je veux vous les redire avec un grand
effroi et une grande contrition. Et cela afin que Dieu,
qui est immortel, me reçoive aujourd'hui dans les
meilleures conditions. »

L'ermite lui a répondu :

« Mon doux fils, que le vrai Dieu en soit loué, Lui
qui t'a donné ce désir sincère. Me voici tout prêt. Dis-
les et je les entendrai. »

Alors le chevalier commença. D'un cœur profondément sincère, il lui raconta toute sa vie, sans oublier
un mot, mains jointes et en pleurant et en soupirant
du fond du cœur. Ses larmes coulaient à flots. Quand
le saint homme vit qu'il était temps de lui donner
l'absolution, il le fit et il lui donna un bien d'un prix
incalculable : le corps de Jésus. Et il lui enseigna Sa
grande bonté :

« Doux fils, voici ta délivrance, voici ta vie et ta
santé. Le crois-tu, frère ?

— Oui, doux père, je crois que ceci est mon Sauveur
et qu'Il est Celui qui peut tout purifier. Hâtez-vous,
car je vais mourir. »

Le saint homme s'y employa ; il lui donna l'hostie
tout entière et celui qui ne se leurrait plus, la reçut
avec une grande foi, avec un amour sincère et avec
humilité. Quand il eut communié, il était si pur et si
innocent qu'il ne restait pas en lui la moindre trace de
péché ou de folie. Alors il appela le saint ermite et lui
dit ses dernières volontés :

« Très doux père, je vais partir ; priez pour moi car je vais mourir. Je ne peux plus rester ici-bas, il me faut chercher une autre demeure. Le cœur me manque, père très doux, je ne peux plus vous parler. Très doux père, je vous recommande à Dieu et en ces derniers instants je vous supplie de mettre vos bras autour de moi : ainsi je mourrai dans les bras d'un ami. »

Le saint homme, très doucement, l'a pris dans ses bras et le chevalier s'est allongé. Il s'est étendu devant l'autel ; son cœur est revenu vers Dieu. Il ferme les yeux et bat sa coulpe[1] ; il s'accuse de tout ce qu'il peut. Son barisel, qui lui a apporté plus de bien que de mal, repose sur son sein et il ne veut pas qu'on le lui retire ; vivant ou mort, il veut le porter. Sur sa poitrine repose l'objet de sa pénitence et il a été touché par un tel fleuve de repentir que Dieu lui a tout pardonné, tous ses péchés et toutes ses fautes. Le corps souffre et l'âme peine ; il leur faut se séparer car l'âme doit quitter le corps. Elle en est partie, toute nettoyée, si nette et si pure qu'il ne reste ni péché ni tache. A peine l'âme s'est-elle détachée du corps et en est-elle sortie, que les saints anges l'ont recueillie, eux qui étaient venus près du corps. C'est une chose merveil-leuse qui est advenue à l'âme quand les saints anges l'ont emportée : elle a échappé à un grand péril car Satan, qui se croyait assuré de l'avoir, l'attendait. Mais il dut partir tout penaud. Et le saint homme vit tout cela de bout en bout car il appartenait au monde spirituel. De ses yeux il vit les anges qui emportaient l'âme avec eux. Le corps était resté, nu et déchaussé, gisant sur une misérable couverture.

Mais maintenant écoutez ce qui arriva après sa mort. Les chevaliers qui jadis l'avaient accompagné et auxquels il avait fait tant d'ennuis, vinrent ce jour-là pour prier comme il était juste et raisonnable de le faire car on était le jour du Vendredi saint. Un peu avant midi, ils arrivèrent en chevauchant et trouvèrent

---

1. *Battre sa coulpe*, c'est se frapper la poitrine tout en disant ses péchés. C'est une confession directe qui exprime le repentir sincère.

leur seigneur mort. Ils reconnurent bien sa stature, son corps et toute sa personne et ils reconnurent bien le baril. C'était leur seigneur, ils n'en doutèrent pas, dont le corps était aussi amaigri et décharné. Ils furent bien déconcertés parce qu'ils ne savaient comment il était mort, si c'était dans le bien ou dans le mal. Chacun d'eux se désolait beaucoup mais le saint homme les réconforta et leur apprit la vérité. Il leur raconta de bout en bout tout ce qui était arrivé et comment leur seigneur était revenu vers lui ; il leur raconta comment il s'était confessé et repenti et comment son âme avait été emmenée dans la vie éternelle et qu'il l'avait vue de ses propres yeux portée par les anges. Les chevaliers en eurent une grande joie ; ils honorèrent le corps avec de grands égards et ils l'ensevelirent dans le recueillement après la messe. Quand ils eurent bu et mangé, ils prirent congé de l'ermite. Ils retournèrent dans leur pays et partout ils racontèrent ce qu'ils savaient de leur seigneur. Ceux du pays en ressentirent beaucoup de joie et de compassion et ils en remercièrent Notre Seigneur. Maintenant je vous ai raconté tout ce qui arriva à ce saint homme, ainsi que les Pères[1] nous le rapportent, eux qui ne mentent jamais et ne disent jamais de choses fausses, mais s'accordent pour dire la vérité quand ils racontent la vie de ce dernier. Ils racontent comment il se comporta et comment Dieu le remit sur le droit chemin. Dieu sait encore œuvrer ainsi et sauver les pécheurs qui veulent revenir à Lui car nul ne peut accomplir les pires actions sans que Dieu ne veuille lui pardonner s'il veut se confier à Lui. Et nul ne doit mépriser autrui, car nul ne sait qui est le pire, excepté Dieu qui sait juger les hommes. Lui seul connaît la vérité et peut juger avec équité car Ses jugements sont avisés.

Ainsi se termine le « Conte du baril ». C'est de cette manière que mourut le chevalier. Maintenant prions

---

1. Allusion au recueil de *La Vie des anciens Pères*, ensemble de contes pieux en vers, écrit vers 1230, dans lequel apparaît déjà ce récit.

Dieu, qui de toute éternité a en Lui toutes les vertus,
qu'Il nous conduise dans le Paradis où Il se trouve.

Le Chevalier au barisel, édité par
Félix Lecoy, Champion, Paris, 1955.

Ce conte illustre deux grandes idées de la religion
chrétienne au Moyen Age : la nécessité, pour être
pardonné, d'un véritable repentir et la valeur rédemp-
trice (la souffrance physique permet de racheter les
péchés) de la souffrance physique. Comme le Christ qui
a souffert sur la croix pour les fautes commises par les
hommes, le chevalier orgueilleux, cruel et sans foi, va
vivre un long calvaire d'une année pendant laquelle il
souffrira durement dans son corps : lorsqu'il revient
trouver l'ermite, la souffrance l'a rendu si maigre et
décharné qu'il n'est plus que l'ombre de ce qu'il était.
Mais du même coup, cette souffrance qui a détruit son
corps, cause première de ses péchés, l'a ouvert à la foi
et à un véritable repentir : il suffit d'une seule vraie
larme venue du fond du cœur pour remplir son barisel,
ce que toutes les eaux du monde n'avaient pu faire
(voir le commentaire détaillé, pp. 211-213).

La fille du comte de Ponthieu

(Extraits de la traduction proposée
par D. Régnier-Bohler,
Le Cœur mangé, récits érotiques et courtois,
Stock-Plus, Paris, 1979.)

Le comte de Ponthieu avait deux enfants : une fille, issue d'un premier mariage, qui, à seize ans, présentait déjà toutes les qualités, et un fils qui promettait beaucoup. Il accueillit à sa cour Thibaut, neveu et héritier du vieux comte de Saint-Pol, qui le servit loyalement.

Au retour d'un tournoi, il appela Thibaut et lui demanda :

« Thibaut, quel joyau de ma terre aimeriez-vous le mieux ?

— Seigneur, dit Thibaut, je suis un pauvre chevalier, mais de tous les joyaux de votre terre, je n'en aimerais nul autant que votre noble fille ! »

Le comte en fut heureux et dit :

« Thibaut, je vous la donnerai, si elle vous accepte ! »

Le comte alla trouver la demoiselle et lui dit :

« Ma fille, si vous n'y voyez pas d'obstacle, vous voilà mariée.

— Seigneur, fit-elle, à qui ?

— Ma fille, dit-il, à mon noble chevalier Thibaut de Domart.

— Ah ! seigneur, dit-elle, même si votre conté était un royaume et si je devais être seule à en hériter, je me considérerais comme bien mariée !

— Ma fille, dit le comte, que votre cœur soit béni ! »

Le mariage eut lieu. Le comte de Ponthieu et celui de Saint-Pol y assistèrent, et un grand nombre d'autres seigneurs se réunirent dans la joie. Les jeunes gens vécurent bien cinq ans ensemble dans le bonheur, mais Dieu ne voulut pas leur accorder d'héritier, ce qui les attristait tous deux. Une nuit, Thibaut, couché dans son lit, pensait :

« Dieu ! d'où vient-il que j'aime tant cette dame et elle de même, et que nous ne puissions avoir d'héritier qui pourrait servir Dieu et être utile en ce monde ? »

Il songea au fait que saint Jacques accordait ce qu'ils demandaient à ceux qui le priaient du fond de leur cœur, et il s'engagea à partir en pèlerinage.

Thibaut demande à son épouse la permission de partir ; elle la lui accorde mais obtient de l'accompagner. Le comte de Ponthieu leur fournit l'équipage nécessaire.

Il se prépara et se mit en route avec très grande joie, et le trajet fut si rapide qu'ils étaient à moins de deux journées du lieu du pèlerinage lorsqu'ils passèrent la nuit dans une bonne ville. Le soir, Thibaut appela son hôte et lui demanda comment serait le chemin du lendemain. Celui-ci lui dit :

« Seigneur, près de cette ville, vous aurez à traverser de la forêt, ensuite le chemin sera bon pour toute la journée. »

Et ils se turent.

Les lits préparés, ils allèrent se coucher. Le lendemain, le temps était très beau, et les pèlerins se levèrent avant l'aube. En entendant le bruit qu'ils faisaient, Thibaut s'éveilla et ressentit un léger malaise. Il dit à son chambellan :

« Lève-toi. Dis à nos gens de se lever, fais charger les bagages et fais-les mettre en route. Quant à toi, tu resteras pour charger notre literie. Je ne me sens pas bien. »

Le chambellan donna les ordres, et ils s'en allèrent.

Peu de temps après, Thibaut se leva ; le jeune homme fit les bagages, et les chevaux furent harnachés. Tous montèrent à cheval. Il ne faisait pas encore jour, mais le temps était très beau. Ils sortirent tous trois de la ville, Dieu seul les accompagnait. Ils approchèrent de la forêt. Quand ils y arrivèrent, ils trouvèrent deux chemins, le bon et le mauvais. Thibaut dit au chambellan :

« Pique des éperons, rejoins les nôtres et dis-leur de nous attendre ! Il n'est pas convenable pour une dame de chevaucher au milieu de la forêt avec si peu d'escorte ! »

Le chambellan s'en alla à vive allure, et Thibaut, arrivant à la forêt, trouva l'embranchement des deux chemins. Ne sachant lequel prendre, il demanda à la dame :

« Lequel prendrons-nous ? »

Et elle dit :

« Seigneur, si Dieu le veut, nous choisirons le meilleur des deux ! »

Dans la forêt, il y avait des brigands qui, dans le but d'égarer les pèlerins, frayaient la route qu'il ne fallait pas prendre. Thibaut mit pied à terre, examina le chemin. Celui qu'il fallait éviter était plus large et mieux entretenu que l'autre, et il dit :

« Ma dame, par Dieu, prenons celui-là ! »

Ils y entrèrent et allèrent un bon quart de lieue. Le chemin commençait à rétrécir, les branches étaient basses, et Thibaut dit :

« Ma dame, il me semble que nous n'allons pas dans la bonne direction ! »

Lorsqu'il eut dit ces mots, il aperçut devant lui quatre hommes armés comme des voleurs, montés sur de grands chevaux, chacun une lance à la main. Les ayant aperçus, il regarda en arrière et en vit quatre autres accoutrés de la même manière, et il dit :

« Ma dame, ne vous effrayez pas de ce que vous allez voir ! »

Il salua les premiers, et ils répondirent à son salut

par le silence. Puis il leur demanda quelles étaient leurs intentions, et l'un dit :

« Vous allez le savoir ! »

Et il dirigea vers lui son épée, essayant de le frapper en pleine poitrine. Voyant venir le coup et poussé par la crainte, Thibaut se baissa, et le coup le manqua, mais lorsqu'il fut au niveau de son adversaire, Thibaut mit la main sur l'épée, l'arracha au brigand, se dirigea vers le groupe des trois dont ce dernier s'était détaché, frappa l'un d'eux au milieu de la poitrine et le tua. Retournant en arrière, il revint à la charge, frappa celui qui s'était d'abord jeté sur lui en pleine poitrine, et il le tua. Dieu permit ainsi qu'il en tuât trois sur huit ; les cinq autres l'entourèrent et tuèrent son cheval. Il tomba sans subir de blessure grave, n'ayant plus pour se défendre ni épée ni autre arme. Ils lui arrachèrent ses vêtements jusqu'à la chemise, ainsi que les éperons et les chausses. Ils prirent la courroie d'une épée, l'attachèrent par les mains et les pieds et le jetèrent en un buisson de ronces. Cela fait, ils vinrent vers la dame, lui prirent son cheval et lui enlevèrent ses vêtements jusqu'à la chemise. Elle était fort belle et versait de chaudes larmes. L'un des brigands la regarda et dit :

« Seigneurs, j'ai perdu mon frère : en compensation, je veux donc avoir cette dame ! »

L'autre dit :

« Moi aussi, j'ai perdu mon cousin germain, je revendique autant que vous ! »

Et le troisième et le quatrième parlèrent de même. Et le cinquième dit :

« Seigneur, si nous la gardons, nous n'en aurons pas grand profit, emmenons-la plutôt dans cette forêt et soumettons-la à notre volonté, puis remettons-la sur le chemin et laissons-la partir. »

C'est ce qu'ils firent, puis ils la ramenèrent sur le chemin.

Thibaut en fut témoin et lui dit :

« Ma dame, pour Dieu, déliez-moi, car ces ronces me font très mal ! »

La dame vit par terre une épée qui avait appartenu à l'un des brigands morts, elle la prit, se dirigea vers Thibaut et lui dit :

« Seigneur, je vous délivrerai. »

Elle essaya de le frapper en pleine poitrine. Il vit le coup venir et, poussé par la crainte, il bondit si violemment qu'il se retourna sur le ventre, présentant ses mains. Et elle le frappa si bien qu'elle le blessa aux bras et trancha les liens. Il sentit se détacher ses mains, il rompit les liens en tirant, sauta sur ses pieds et dit :

« Ma dame, s'il plaît à Dieu, ce n'est pas maintenant que vous me tuerez ! »

Et elle lui dit :

« En vérité, seigneur, cela m'afflige ! »

Il lui arracha l'épée, lui mit la main sur l'épaule et la ramena sur le chemin qu'ils avaient pris pour venir.

Parvenu à l'entrée du chemin, il trouve une grande partie de ses gens qui étaient arrivés. Comme ils le voyaient dévêtu, ils lui demandèrent :

« Seigneur, qui vous a mis dans cet état ? »

Il leur dit qu'ils avaient rencontré des brigands qui les avaient mis dans cet état, et ils en furent accablés. On leur fit promptement revêtir d'autres vêtements, et ils montèrent à cheval et se remirent sur le chemin. Ils chevauchèrent ce jour-là et, à aucun moment, Thibaut ne montra à la dame un visage contrarié. La nuit, ils dormirent dans une bonne ville. Thibaut demanda à son hôte s'il y avait un couvent où l'on pût laisser une dame, et l'hôte répondit :

« Seigneur, vous avez de la chance, il y en a justement un là-bas qui est réputé pour sa piété ! »

La nuit s'écoula. Le lendemain, Thibaut s'y rendit et y entendit la messe. Puis il pria l'abbesse de bien veiller sur la dame et elle accepta. Thibaut laissa des gens pour la servir et s'en alla, accomplit son pèlerinage, revint en passant prendre la dame, combla le couvent de présents, et ramena la dame dans son pays avec des marques de joie et de respect aussi grandes qu'avant le départ. Mais ils ne dormaient plus ensemble.

Lorsque Thibaut revint chez lui, on lui fit un accueil plein de joie. Le comte de Ponthieu et son oncle, le comte de Saint-Pol, étaient présents, et la dame fut accueillie très respectueusement par ses dames et ses demoiselles. Ce jour-là, le comte de Ponthieu partagea son repas avec Thibaut. Après le repas, il lui dit :

« Thibaut, mon cher fils, celui qui fait longue route voit bien des choses ! Contez-moi donc quelque aventure que vous ayez vue ou entendu raconter. »

Thibaut lui répondit qu'il ne connaissait aucune aventure à raconter, et comme le comte l'en priait une fois encore, il lui dit :

« Seigneur, puisqu'il faut en parler, je ne vous en parlerai pas au vu et au su de tant de gens ! »

Le comte se leva, le prit par la main et le mena à l'écart. Thibaut lui raconta l'aventure qui était arrivée à un chevalier et à une dame, sans dire qu'il s'agissait de lui-même et le comte lui demanda ce que le chevalier avait fait de la dame, et il lui dit qu'il l'avait ramenée avec autant de joie et d'égards qu'au départ, sauf qu'ils ne dormaient plus ensemble.

« Thibaut, le chevalier voyait les choses autrement que moi, car, par la foi que je vous dois, je l'aurais pendue à la branche d'un arbre par les tresses, par une ronce ou par la ceinture elle-même !

— Seigneur, fit Thibaut, la chose sera encore plus certaine quand la dame en personne en témoignera.

— Thibaut, dit-il, savez-vous donc qui était le chevalier ?

— Seigneur, je le sais bien.

— Qui était-il ?

— Seigneur, c'était moi !

— Alors, c'est à ma fille que cela est arrivé ?

— Seigneur, dit-il, oui, c'est la vérité.

— Thibaut, vous vous en êtes bien vengé en me la ramenant ! »

Poussé par la colère qu'il éprouvait, il appela la dame et lui demanda si ce que Thibaut lui avait raconté était vrai, et elle lui demanda :

« Quoi ?

— Que vous ayez ainsi voulu le tuer.

— Oui, seigneur, dit-elle.

— Pourquoi avez-vous voulu le faire ?

— Seigneur, dit-elle, pour la même raison que je suis encore accablée de ne l'avoir point fait ! »

Le lendemain, le comte de Ponthieu, accompagné de son fils et de Thibaut, emmena sa fille sur un bateau et, arrivé en pleine mer, la fit entrer dans un tonneau qu'il abandonna au gré des flots. Mais le tonneau fut recueilli par un navire marchand qui se rendait en terre sarrasine. Les marins décidèrent de faire don de la dame, qui avait retrouvé toute sa beauté, au sultan afin de se concilier ses bonnes grâces.

Le sultan leur accorda quantité d'avantages et accueillit la dame avec des marques de grande amabilité. Elle était sur la terre ferme et la couleur lui revint ; il commença à éprouver pour elle désir et attachement, et lui fit demander par un interprète de lui apprendre quelle était son origine. Elle ne voulut pas lui révéler la vérité. A ce qu'il voyait d'elle, il pensait bien qu'elle était d'origine noble, et il lui fit dire que, si elle était chrétienne et voulait abandonner sa religion, il la prendrait pour femme. Elle se rendit compte qu'il valait mieux pour elle agir par amour que sous la contrainte, et lui fit répondre qu'elle le ferait. Lorsqu'elle eut renié sa foi, il l'épousa, et son amour pour elle allait en s'accroissant. Il avait passé peu de temps avec elle lorsqu'elle conçut et eut un fils. Elle s'adapta à son entourage, elle parlait et comprenait le sarrasin. Et peu de temps après, elle eut une fille. Elle passa ainsi au moins deux ans et demi avec le sultan.

Pendant ce temps, le comte de Ponthieu, son fils et Thibaut, qui regrettaient amèrement leur conduite, pensant avoir commis là un lourd péché, s'étaient croisés[1] et étaient partis en Terre sainte. Mais au retour, leur bateau fut pris dans la tempête et rejeté vers la côte sarrasine.

Ils arrivèrent comme une épave devant Almeria[2]... Des galères et des bateaux chargés de Sarrasins vinrent à leur rencontre, les prirent et les menèrent devant le sultan, en lui faisant présent de tous leurs biens. Le sultan les sépara et les envoya dans ses prisons. Le comte et son fils étaient si étroitement attachés et entourés de leurs bras qu'on ne pouvait les séparer, et le sultan ordonna qu'on les mît en prison ensemble. Ils restèrent là fort longtemps, plongés dans une grande détresse, et le fils du comte tomba fort malade.

Par la suite, le sultan un jour organisa une grande fête pour l'anniversaire de sa naissance. Les réjouissances furent grandes. Après le repas, des archers et des fantassins turcs vinrent trouver le sultan d'Almeria, lui disant :

« Seigneur, nous réclamons notre droit ! »

Il demanda :

« Lequel ? »

Et ils dirent :

« Seigneur, un prisonnier pour nous servir de cible ! »

Il leur dit :

« Allez dans la prison, prenez celui qui a le moins de chances de vivre. »

Ils allèrent prendre le comte et l'amenèrent, tout couvert de barbe, vêtu de ses seuls cheveux, sans rien d'autre. Le sultan leur dit :

« Celui-ci n'avait pas grand besoin de vivre plus longtemps. Allez, emmenez-le ! »

La dame, qui était la femme du sultan, était présente, et, en le voyant, son cœur s'émut et elle dit :

1. Avaient pris la résolution de partir pour la croisade.
2. Ville espagnole située au sud de l'Andalousie. Au Moyen Age, les musulmans occupaient l'Espagne et ils étaient remontés jusqu'à Nîmes et Orange. Des chansons de geste racontent comment ces deux villes furent libérées par un héros épique appelé Guillaume au court nez.

« Seigneur, je sais le français, je parlerai à ce pauvre homme, si vous le permettez.

— Ma dame, dit-il, très volontiers. »

Elle vint à lui et lui demanda d'où il venait et de qui il était le vassal. Il lui répondit :

« Ma dame, je viens d'une région de France, d'une terre qu'on appelle Ponthieu.

— De quel lignage[1] ?

— Ma dame, j'en étais le seigneur et comte lorsque je partis. »

Quand elle l'entendit, elle vint trouver son seigneur et dit :

« Seigneur, donnez-moi ce prisonnier, s'il vous plaît, car il connaît les échecs et le trictrac : il en jouera devant nous et nous les apprendra. Je me sens un peu seule avec vous, il me tiendra donc compagnie !

— Ma dame, sur ma foi, soyez sûr que je vous l'accorde bien volontiers ! »

Elle envoya le prisonnier dans sa chambre. Le geôlier retourna à la prison et amena Thibaut vêtu de cheveux et de barbe, maigre et décharné. Quand la dame le vit, elle dit :

« Seigneur, je parlerai encore à celui-là, si vous le permettez.

— Ma dame, par ma religion, oui, volontiers ! »

Elle alla vers lui et lui demanda d'où il venait et de qui il était le vassal, et il lui dit :

« Ma dame, je suis de la terre du vieil homme. Je suis chevalier et j'avais épousé sa fille. »

Elle revint vers son seigneur, lui disant :

« Seigneur, accordez-moi donc cette grande faveur de me donner ce prisonnier, car il connaît tous les jeux et vous les verrez tous deux souvent jouer ensemble.

— Ma dame, dit-il, je vous le donne. »

Et elle l'envoya rejoindre le premier. Les archers se hâtèrent et dirent :

« Seigneur, notre droit se fait attendre ! »

1. *Lignage* : famille noble.

On alla à la prison et on amena le fils couvert de fort beaux cheveux, imberbe et si faible qu'il ne pouvait tenir sur ses jambes. Et quand la dame le vit, elle en eut pitié et dit :

« Seigneur, permettez-vous que je parle encore à celui-là ?

— Ma dame, dit-il, très volontiers. »

Elle vint à lui et lui demanda de qui il était le vassal, et qui il était, et il lui répondit :

« Ma dame, je suis le fils du vieil homme. »

Quand elle l'entendit, elle dit à son seigneur :

« Seigneur, vous me ferez une grande faveur si vous me donnez ce prisonnier, car il connaît les échecs, le trictrac et nombre de beaux récits ! »

Et il dit :

« Par ma religion, ma dame, y en aurait-il cent que je vous les donnerais volontiers ! »

La dame l'envoya rejoindre les deux autres. On retourna à la prison, on en ramena un autre prisonnier. Elle lui parla, mais ne le connaissait pas : il fut livré à son supplice.

Aussitôt qu'elle le put, la dame s'en alla vers la chambre où se trouvaient ses prisonniers, et quand ils la virent venir, ils firent mine de se lever, mais elle leur fit signe de rester assis. Elle vint près d'eux, et le comte lui demanda :

« Ma dame, quand allons-nous mourir ? »

Et elle leur dit :

« Ce ne sera pas de sitôt ! »

Sans se faire reconnaître, la dame les fait bien traiter et ils recouvrent leurs forces.

Peu de temps après, le sultan eut d'autres préoccupations, car un sultan qui lui était limitrophe lui dévastait sa terre et lui, pour se venger, convoqua les siens. Quand la dame l'apprit, elle se rendit dans la chambre où se trouvaient ses prisonniers. Ils s'y étaient habitués à tel point qu'ils n'en bougeaient ni pour aller ni pour venir. Elle s'assit sur une chaise devant eux et leur adressa la parole :

« Seigneurs, vous m'avez raconté une partie de votre histoire ; maintenant, je veux savoir si ce que vous m'avez dit est vrai. Vous m'avez dit que vous étiez le comte de Ponthieu, que ce chevalier avait épousé votre fille et que cet autre était votre fils. Je suis sarrasine et experte en magie, et je puis vous assurer que vous n'aurez jamais été aussi proches d'une mort honteuse que maintenant, si vous ne me dites la vérité, et je saurai bien si c'est le cas ! Votre fille, que ce chevalier avait épousée, que devint-elle ?

— Ma dame, dit le comte, je crois qu'elle est morte.

— Comment est-elle morte ? dit la dame.

— Ma dame, fit le comte, pour une raison qu'elle avait méritée !

— Quelle fut cette raison ? »

> *Le comte de Ponthieu lui raconte alors, avec tous les détails, l'aventure qu'elle avait vécue lors du pèlerinage à Saint-Jacques.*

« Ah ! dit la dame, je sais bien que vous avez dit la vérité, et je sais bien pourquoi elle voulut le tuer.

— Pour quelle raison, ma dame ?

— A cause de la grande honte dont il avait été témoin, qu'elle avait reçue et subie devant lui ! »

Et quand Thibaut l'entendit, il se mit à pleurer d'émotion.

« Hélas ! dit-il, quelles fautes avait-elle commises ? Ma dame, aussi vrai que je souhaite que Dieu me délivre de la prison où je suis, jamais, pour cette raison, je ne lui aurais fait plus mauvais visage !

— Seigneur, dit-elle, à ce moment-là, elle ne se l'imaginait pas ! Dites-moi donc, ajouta-t-elle, qu'en pensez-vous, est-elle morte ou vivante ?

— Ma dame, dirent-ils, nous ne le savons pas !

— Mais je sais bien, dit le comte, quelle vengeance cruelle en fut tirée.

— Et s'il plaisait à Dieu, dit la dame, qu'elle eût

échappé à ce supplice et que vous puissiez en avoir des nouvelles, qu'en diriez-vous ?

— Ma dame, dit le comte, rien ne me rendrait si heureux, pas même d'être délivré de cette prison et de voir doubler mes terres !

— Ma dame, dit Thibaut, en ce qui me concerne, je ne serais pas plus heureux si je devais posséder la plus belle dame du monde, et en plus du royaume de France !

— Certes, ma dame, dit le plus jeune, rien qu'on puisse me donner et promettre ne pourrait me rendre aussi joyeux ! »

Quand la dame entendit leurs paroles, son cœur en fut ému et elle dit :

« Dieu soit loué ! Veillez donc à ce que vos paroles ne recèlent aucune dissimulation ! »

Et ils dirent tous trois d'une seule voix :

« Non, ma dame, il n'y en a pas ! »

La dame se mit à pleurer d'émotion :

« Seigneurs, voici que vous pouvez dire que vous êtes mon père, et que je suis votre fille, et vous, que vous êtes mon mari et vous, mon frère ! »

A ces mots, ils furent remplis de joie et voulurent s'incliner humblement devant elle, mais elle le leur défendit en disant :

« Je suis sarrasine et je vous prie, pour cette nouvelle que vous venez d'entendre, de ne pas montrer un visage plus heureux, mais de vous comporter avec naturel en me laissant faire. Je vous dirai maintenant pourquoi je me suis découverte à vous : le sultan mon époux doit partir pour une expédition, et comme je vous connais bien, je demanderai qu'il vous emmène avec lui, et si vous avez jamais été courageux, ce sera le moment de le montrer ! »

Alors ils se turent, elle se leva et alla trouver le sultan :

« Seigneur, l'un de mes prisonniers a entendu parler de votre entreprise et m'a dit qu'il irait volontiers se battre avec vous, si cela lui était permis.

— Ma dame, dit-il, je n'oserais, de crainte qu'il ne me trahisse !

— Seigneur, fit-elle, faites-le en toute confiance, je retiendrai les deux autres. Si celui-ci devait vous nuire, je pendrais ceux-là par la gorge.

— Ma dame, dit-il, je lui donnerai cheval et armes et ce qui lui conviendra. »

Elle retourna alors dans sa chambre et dit :

« Seigneur, vous accompagnerez le sultan ! »

Et son frère s'agenouilla et demanda :

« Pour l'amour de Dieu, ma sœur, faites en sorte que je parte avec lui !

— Non, dit-elle, car la chose serait trop évidente ! »

Le sultan se mit en route et Thibaut avec lui. Le sultan lui avait donné tout ce dont il avait besoin. Ils assaillirent leurs ennemis. Par la volonté de Dieu et avec l'aide des autres, Thibaut fit si bien qu'en peu de temps il écrasa les ennemis du sultan. Et celui-ci lui en fut très reconnaissant et revint vainqueur, ramenant avec lui un grand nombre de prisonniers. Il alla trouver la dame, disant :

« Ma dame, au nom de ma foi, je me félicite de votre prisonnier. S'il voulait accepter une grande terre, certes, je la lui donnerais ! »

Et elle dit :

« Seigneur, il ne le ferait pas s'il lui fallait renier sa foi ! »

Après cette conversation, elle s'habilla et dit :

« Seigneur, je suis enceinte et je me sens malade ! »

Et il dit :

« Ma dame, même si je devais doubler les terres que je possède déjà, je ne serais pas aussi heureux !

— Seigneur, dit-elle, je n'ai mangé ni bu quoi que ce soit avec plaisir depuis votre départ, et mon vieux prisonnier m'assure que si je ne me trouve sur le continent, je mourrai !

— Ma dame, fit-il, je ne veux pas votre mort, mais dites-moi sur quelle terre vous voulez vous trouver, je vous y ferai mener.

— Seigneur, dit-elle, peu m'importe sur quelle terre, pourvu que je sois hors de cette île ! »

Le sultan fit appareiller un fort beau bateau, le chargeant de vin et de nourriture.

« Seigneur, dit-elle, j'emmènerai mon vieux prisonnier et le jeune. Ils joueront devant moi aux échecs et au trictrac, et j'emmènerai mon fils pour me distraire !

— Ma dame, dit-il, et que deviendra le troisième prisonnier ? J'aimerais que vous l'emmeniez de préférence aux deux autres, car il n'est lieu, ni sur terre ni sur mer, où il ne puisse vous défendre si vous en avez besoin !

— Seigneur, dit-elle, je veux bien l'emmener. »

Le bateau fut préparé, et ils prirent la mer. Sitôt que les marins furent en haute mer, ils dirent à la dame :

« Notre vent nous emporte tout droit à Brindisi[1]. »

Et elle dit :

« Laissez aller à l'aventure, car je sais le français et je saurai vous guider en tout lieu. »

Et ils arrivèrent au port en sûreté et descendirent à terre. La dame dit à ses compagnons :

« Seigneurs, je veux que vous vous souveniez des paroles qui furent dites, car j'ai encore tout à fait la possibilité de retourner, si je le veux. »

Et ils dirent :

« Ma dame, tout ce que nous avons dit sera tenu !

— Seigneur, fit-elle, voici mon fils, qu'en ferons-nous ?

— Ma dame, qu'il soit le bienvenu ! Il sera entouré de soins et d'égards.

— Seigneur, dit-elle, j'ai beaucoup pris au sultan en lui enlevant ma personne et mon fils, et je ne souhaite pas lui enlever davantage de ce qui lui appartient ! »

Elle alla trouver les marins, près du bateau, et dit :

« Prenez le chemin du retour et dites au sultan que je lui ai enlevé ma personne et son fils, et que j'ai

---

1. Brindisi se trouve en Italie du Sud. C'est de là que partent les bateaux pour la Grèce.

libéré de sa prison mon père et mon mari et mon frère ! »

Les marins furent très affligés et dès qu'ils le purent, ils s'en retournèrent.

Le comte se prépara, et il eut largement ce qu'il lui fallait grâce aux marchands et aux templiers, qui volontiers prêtent de leur bien. Ils furent équipés, se mirent en route et arrivèrent à Rome. Le comte se rendit avec tous les siens devant le pape. Chacun se confessa à lui, et lorsqu'il entendit ce qui s'était passé, il manifesta une grande joie pour les faits et le miracle dont Dieu honorait son temps. Il baptisa l'enfant, qui reçut le nom de Guillaume. Ensuite, il rendit la dame à l'authentique foi chrétienne ; il confirma, pour elle et son seigneur, la légitimité de leur mariage et imposa à chacun une pénitence pour ses fautes. Ensuite, tous montèrent à cheval et retournèrent avec grande joie dans leur pays, où on les attendait impatiemment. Il y eut pour leur arrivée de grandes réjouissances [...].

L'Orient assimilé au monde sarrasin (musulman) a beaucoup captivé l'imagination des gens du Moyen Age et il est souvent le cadre d'aventures merveilleuses. Opposé au monde chrétien comme le mal s'oppose au bien, il est bien souvent considéré comme une image de l'Enfer ou pour le moins du Purgatoire. Ici, la jeune comtesse que les événements ont conduite à vouloir commettre le crime de tuer son mari et que l'on punit en l'abandonnant aux flots, est miraculeusement sauvée par la Providence qui la conduit en pays sarrasin. Là, elle se rachète de sa faute en sauvant la vie à son père, à son frère et à son mari et en les ramenant en pays chrétien. Ainsi peut-elle être pardonnée et de nouveau acceptée dans le monde du bien. (Voir le commentaire détaillé, pp. 216-218.)

Commentaires

par

Jean-Claude Aubailly

Un peu d'histoire...

Les textes dont nous présentons la traduction dans ce volume datent presque tous du XIIIe siècle (et c'est le cas des fabliaux puisque, d'après la critique actuelle, le premier auteur à en avoir écrit serait Jean Bodel, mort en 1209, et le dernier, Jean de Condé, qui composa son œuvre au tout début du XIVe siècle). C'est le siècle de l'apogée de la civilisation médiévale qui s'étend en gros du règne de saint Louis (de 1226 à 1270) au règne de Philippe IV le Bel (de 1285 à 1314). C'est la guerre de Cent Ans, née de la querelle de succession au trône, à la mort de Charles IV en 1328, qui marque la fin de cette période car elle est source d'un profond bouleversement générateur d'un renouvellement des structures sociales et des mentalités et donc, par suite, de la littérature.

L'histoire politique et sociale

Au début du siècle, la croisade contre les Albigeois en 1209 et la victoire de Philippe Auguste sur la coalition formée par l'Angleterre, le Saint-Empire et la Flandre, à Bouvines en 1214, rehaussent le prestige de la monarchie et sont le point de départ de l'établissement d'un véritable pouvoir royal. Avec saint Louis, bien que les croisades compromettent la prospérité économique, le pouvoir royal s'affermit en même temps que s'accroît le domaine royal ; c'est le déclin de la féodalité, marqué par l'assujettissement des grands vassaux, et la noblesse tout entière, atteinte dans sa prospérité matérielle par les croisades, voit sa puissance diminuer. Dans les vingt-cinq premières années du règne, la distinction entre les classes sociales s'accentue : comme partout en Occident, le travail libre se substitue au servage (les seigneurs sont amenés par la force des choses à concéder la gestion d'une partie de leurs terres aux *vilains*, paysans libres ou semi-libres, métayers) ; les marchands se regroupent en *guildes*, les artisans en *corporations*, en *confréries* hiérarchisées, avec des patrons et des compagnons. Les besoins du Trésor royal poussent saint Louis à favoriser l'émancipation communale : il octroie aux villes des chartes de franchise qui leur apportent une liberté qui va parfois jusqu'à l'autonomie. Ainsi se constitue une oligarchie bourgeoise dont la puissance s'affirme dans les villes. Saint Louis est aussi le premier roi de France à pratiquer une politique monétaire (qui inaugure l'ère de la puissance de l'argent) et il adapte les institutions dans un sens qui donne une existence réelle à la notion d'État (aménagement de la Chancellerie, création d'une Commission de contrôle du Trésor royal et de l'Hôtel du Roi où sont distingués les fonctions d'État et les emplois domestiques). De plus, la justice royale empiète de plus en plus sur les juridictions privées, ecclésiastiques ou seigneuriales. Dès le milieu du siècle, cette évolution s'accentue. Malgré une emprise croissante de l'Église dont les ordres mendiants (franciscains) et prêcheurs (dominicains) ont d'étroits contacts avec le peuple, en 1250 des troubles sociaux (et économiques) éclatent dans le Nord où les paysans se soulèvent contre le clergé cependant que, parallèlement, se développe, dans les villes où l'industrie du drap fleurit, un véritable prolétariat ouvrier. En 1270 sont signées les premières lettres royales d'anoblissement qui permettent la naissance de la noblesse de robe et la constitution de la caste des légistes. En 1275, c'est la crise économique générale, et l'année 1281 est marquée par des soulèvements contre la noblesse en Flandre, en Champagne et en Normandie. La transformation des rapports de force dans un monde féodal en voie de décomposition est alors largement amorcée.

Avec Philippe le Bel les problèmes économiques et financiers s'accroissent ; les progrès du commerce dans une économie qui ne fonctionne plus en autarcie, et la raréfaction des métaux précieux aboutissent d'une part à la promotion de la bourgeoisie sur laquelle la monarchie s'appuie de plus en plus et, d'autre part, à la confiscation des biens des templiers (le fameux procès des templiers date de 1307) et à l'interdiction pour l'Église d'envoyer son or à Rome. Dès 1309, on élit comme pape le limousin Clément V qui s'installe en Avignon : c'est le début de la crise de l'Église, qui aboutit à la fin du XIVe siècle au grand schisme. Philippe le Bel poursuit d'ailleurs la laïcisation de l'État en s'appuyant sur les légistes, issus de la petite noblesse, qui, formés au droit romain, établissent une théorie de la monarchie absolue fondée sur le droit divin qui doit balayer toutes les résistances de l'Église comme de la noblesse. L'administration royale est renforcée : la bureaucratie prolifère et, en province, les pouvoirs des baillis royaux sont accrus. L'armée, de plus en plus formée de mercenaires, est un appui solide pour la politique royale. En un siècle, les fondements du pouvoir ont changé : il repose maintenant sur la petite noblesse, les clercs et la bourgeoisie. La littérature se fait l'écho de cette évolution.

La civilisation et les arts

Le XIIIe siècle est celui de la construction des grandes cathédrales : Laon, Bayeux, Soissons, Bourges, Chartres, Meaux, Strasbourg, Rouen, Troyes, Reims, Amiens, Beauvais, Metz, Limoges, Albi. Le gothique s'épanouit, favorisé par le développement des villes. La France, sous saint Louis, devient le foyer de la culture musicale européenne : musique sacrée et musique profane (les *rondeaux* d'Adam de la Halle, trouvère artésien, sont des chefs-d'œuvre). L'université de Paris, qui va très vite avoir un grand rayonnement, est fondée en 1200 ; celle de Toulouse, en 1229. C'est entre 1258 et 1274 que Robert de Sorbon organise la Sorbonne. La faculté de droit d'Orléans est créée en 1312 ; les règles du droit coutumier sont rédigées en français et servent de fondement à la jurisprudence (dès 1283, Philippe de Beaumanoir, le premier, avait rédigé les *Coutumes de Beauvaisis*). Pendant ce siècle d'intense bouillonnement intellectuel, la connaissance progresse dans tous les domaines : mathématiques, optique, astronomie... On redécouvre la cosmographie de Ptolémée, qui démontre la rotondité de la terre (et suscite ainsi une évolution de la pensée religieuse et des mentalités) ; Roger Bacon (1214-1294) met sur pied la science expérimentale et réhabilite l'alchimie découverte par les templiers lors des Croisades. Les Croisades et la découverte de l'Orient et de sa civilisation élargissent encore le champ des connaissances, et l'ouverture au monde se complète par les voyages du Vénitien Marco Polo en Chine entre 1271 et 1295. Sur le plan de la connaissance, l'homme du XIIIe siècle est un homme nouveau.

Les tendances dominantes de la littérature

Dans l'ensemble, les critiques et les historiens de la littérature s'accordent pour constater une continuité avec le XIIe siècle mais aussi l'apparition, entre 1200 et 1230, de nouvelles formes qui correspondent à de nouvelles structures mentales et notamment à un goût pour le savoir encyclopédique et rationnel, pour l'allégorie : on veut percer le sens des symboles non plus par le cœur mais par l'esprit (le *roman arthurien* qui se déroule dans un contexte merveilleux, souvent païen, laisse place à la *quête du Graal* dans laquelle les chevaliers sont confrontés à des symboles successifs que l'on explicite longuement d'une manière rationnelle et didactique ; la *courtoisie* et son érotisme éthéré se transforment en un antiféminisme parfois virulent, hérité des Pères de l'Église). De plus en plus perce l'ambition de rendre compte de la réalité, d'exprimer l'univers dans sa complexité, mais aussi de trouver l'unité, le sens. Le XIIIᵉ siècle est l'époque des *sommes*, celle aussi de saint Thomas, qui réconcilie la théologie et la philosophie en situant la réflexion métaphysique comme une démarche postérieure à un acte de foi. Un des meilleurs exemples de l'évolution de la pensée pendant ce siècle est sans doute fourni par la différence qui oppose *Le Roman de la Rose,* écrit vers 1225-1230 par Guillaume de Lorris et qui est un véritable *Art d'aimer* courtois, à la continuation qu'en a donnée, vers la fin du siècle (entre 1269 et 1278), Jean de Meung dont le dessein anti-courtois est évident. Non seulement il traite ce qu'a écrit son prédécésseur de *fable* mais, comme l'écrivait Jean-Charles Payen, « en développant le vieux thème biblique et populaire de la faiblesse et de la perversité féminines, les hommes de paille du poète (Ami, Génius, la Vieille) ruinent le principe même de la *fin'amor.* Dans la quête amoureuse, la Rose n'est plus qu'un leurre et son attrait, le stratagème de Nature qui travaille au maintien et à l'expansion de chaque espèce, conformément à l'ordre divin. L'amour n'a ni objet particulier, ni fin particulière ; il trouve sa justification dans l'obéissance aux lois de Nature et sa dignité dans la collaboration à l'œuvre créatrice de Dieu, dont l'univers manifeste la beauté, la bonté et la fécondité inépuisables ».

Cette tendance au réalisme explique peut-être le goût pour cette forme littéraire qu'est la *chronique historique* en prose, qui apparaît à cette époque avec Geoffroy de Villehardouin (*Histoire de la conquête de Constantinople,* qui est l'histoire de la IVᵉ croisade à laquelle il a participé en 1204), Robert de Clari (qui donne le point de vue du combattant obscur sur la même expédition) et Jean de Joinville compagnon de saint Louis lors de la croisade de 1248, qui rédige ses *Mémoires* à la fin du siècle. C'est sans doute à cette même tendance qu'il faut rattacher les *fabliaux* et le succès populaire du *Roman de Renart* qui, vers 1205, comporte déjà une quinzaine de *branches* et s'enrichit, entre 1225 et 1250, d'une douzaine de branches nouvelles dont la fameuse *branche Ia* qui a, pour la plus grande part, fixé le type du renard à la fois homme et animal et créé cet univers de fantaisie et de réalité psychologique où Renart, Ysengrin et leurs comparses sont tour à tour seigneurs, moines, jongleurs ou pèlerins.

Mais le XIIIe siècle est aussi le siècle de la naissance du théâtre profane dans le nord de la France, un théâtre qui mêle l'esprit de croisade, le rire et la ferveur religieuse avec le *Jeu de saint Nicolas* de Jean Bodel, qui se veut pur spectacle avec le *Jeu de Robin et Marion* (bergerie amusante qui comporte des chants et des danses), ou se présente comme une satire de la vie arrageoise avec le *Jeu de la Feuillée*, tous les deux d'Adam de la Halle, ou qui, enfin, sous la plume de Rutebeuf, avec *Le Miracle de Théophile*, exprime une foi profonde en la miséricorde divine même pour les plus grands pécheurs.

Parallèlement la littérature religieuse et morale se développe avec la vogue des *exempla* et des recueils comme *La Vie des anciens Pères* (dans lequel se trouve une version du « Chevalier au barisel »). Quant au roman, il connaît une vogue nouvelle et se caractérise par l'emploi chez les auteurs de la prose qui remplace le vers et marque comme une sorte de révolution littéraire. Peut-être est-ce parce que la prose, utilisée dans la chronique, apporte une sorte de caution d'authenticité au récit recherchée par le public de l'époque, ou peut-être est-ce parce que la diffusion du savoir permet le développement de la lecture personnelle qui remplace l'audition. Toujours est-il que des chansons de geste sont alors mises en prose, la matière arthurienne est remaniée et développée dans les romans du Graal (et notamment l'immense *Lancelot-Graal* qui comporte cinq branches), que les romans antiques, plus étoffés, reviennent à la mode (*Roman de Thèbes, Roman de Troie*...), l'histoire même devient source de vastes compilations romanesques (*Trésors des Histoires* qui retrace l'histoire de l'humanité des origines à 57 av. J.-C.) et enfin, sans doute dû à la découverte de l'Orient lors des Croisades, l'intérêt pour les contes d'origine orientale suscite des romans cycliques comme *Le Roman des Sept Sages de Rome* ou *Roman de Dolopathos* (qui accumule des histoires sur le modèle des *Mille et une nuits*), lequel eut de multiples versions et continuations vers la fin du siècle, ou l'*Histoire d'Outre-mer et du roi Saladin*, chronique fabuleuse qui contient, entre autres, « La fille du comte de Ponthieu ».

C'est dans ce contexte général qu'il nous faut maintenant situer nos fabliaux.

Les fabliaux
ou le versant du rire

Qu'est-ce qu'un « fabliau » ?

Le terme générique désignant le genre

Sur les 160 textes considérés comme appartenant au genre (P. Nykrog), 56 seulement sont explicitement désignés par leurs auteurs comme étant des *fabliaux*, terme qui apparaît aussi sous les formes : *fableau, fablel*. Dans les autres textes, ce terme est remplacé par : *conte, dit, essemple, fable, lai, proverbe, risée, roman, truffe* (« plaisanterie »). C'est dire que la désignation médiévale du genre reste flottante (bien que chacun des termes utilisés caractérise un des aspects du genre). En fait le terme de *fabliau* paraît interchangeable avec celui de *conte* pour désigner des récits d'imagination qui s'opposent à ceux désignés par le terme *estoire* qui sont censés rapporter des faits authentiques. L'explication la plus plausible du terme est d'en faire un dérivé de *fable* qui, au Moyen Age, avait le sens de *fiction, mensonge* et était utilisé pour désigner ces contes moralisants dont les personnages étaient des animaux (comme ceux d'Ésope). D'ailleurs, le premier auteur du genre, Jean Bodel, utilise indifféremment les termes de *fable* et de *fablel/fabliau* pour définir ses contes qui comportent, entre autres, une fable ésopique : « Le loup et l'oie ».

Caractéristiques extérieures du genre

Le *fabliau* se présente comme un récit en vers bref (sa longueur est le plus souvent comprise entre deux cents et cinq cents vers. Ce n'est qu'exceptionnellement qu'il peut atteindre mille deux cents vers), faisant intervenir un nombre réduit de personnages (généralement de deux à trois, rarement cinq) dans une action réduite à une seule « aventure » qui progresse de manière linéaire dans un espace réduit et dans un temps resserré. Parfois cependant, il juxtapose deux anecdotes comme « Les trois aveugles de Compiègne », ou multiplie les péripéties comme « Le prêtre ».

Ton et finalité des fabliaux

Le fabliau vise surtout à amuser, à faire rire (c'est ainsi que le définissait J. Bédier) ou sourire, et il illustre toujours, explicitement ou implicitement, une règle de morale pratique, réaliste et l'on pourrait dire : trivialement quotidienne, car ses « héros » appartiennent tous ou presque tous aux couches populaires de la société.

Essai de définition

Les nombreuses définitions du genre qui ont été données par les critiques reflètent les difficultés qui surgissent lorsque l'on veut saisir globalement une matière aussi diversifiée et fuyante que celle du fabliau. Néanmoins, nous retiendrons celle proposée par Dominique Boutet (*Les Fabliaux*, P.U.F., Paris, 1985) : « Le fabliau est un genre narratif bref, non animalier, en octosyllabes, dans lequel les caractères, la trame narrative, le registre sociologique et le ton relèvent, les uns et/ou les autres, à des degrés divers, du style bas tel qu'il ressort de l'esprit général des arts poétiques contemporains. »

L'origine des fabliaux

Longtemps délaissés par la critique à cause de leur trivialité, de leur amoralisme (un tiers des textes narrent des histoires d'adultère), et parfois de leur grossièreté, les fabliaux n'ont commencé à être étudiés que vers la fin du XIXe siècle. C'est G. Paris qui, le premier, s'y intéresse, et, dans sa leçon inaugurale au Collège de France, en décembre 1874, essaie de démontrer leur origine orientale par l'intermédiaire des contes bouddhiques du *Pantchatantra*, des traductions arabes (livre de *Kalila et Dimna*) et de la diffusion de celles-ci en Europe par la *Disciplina clericalis, Le Roman des Sept Sages*, le *Dolopathos*. Mais en 1893, son disciple, J. Bédier, dans une thèse restée célèbre, récuse ce point de vue (il démontre que sur l'ensemble des textes, seuls six fabliaux ont un équivalent dans la traduction orientale et que de plus leur filiation est douteuse) : les ressemblances sont purement fortuites ; les fabliaux français sont nés en France et tirent leur raison d'être du milieu qui les a produits, la bourgeoisie. En 1953, le Danois Per Nikrog va plus loin : pour lui, les fabliaux s'inscrivent dans la tradition de la fable ésopique (relayée notamment par les *Isopets* de Marie de France) et émanent d'un monde aristocratique courtois dont l'esprit se transforme et qui, à travers eux, se livre à une parodie de la littérature courtoise de l'époque précédente. Cette hypothèse a été récemment nuancée par M.-Th. Lorcin qui fait intervenir la notion de classes d'âge entre lesquelles se créent des oppositions plus marquées qu'entre les classes sociales elles-mêmes. Les fabliaux seraient ainsi l'expression littéraire satirique de l'amertume ressentie par une jeune classe de clercs et de chevaliers errants et désargentés auxquels la vie quotidienne posait de multiples problèmes et difficultés, et qui constituaient un milieu très proche de celui des jongleurs, diffuseurs traditionnels des fabliaux. Quoi qu'il en soit, il est indéniable que les fabliaux appartiennent à une littérature *orale* dans laquelle la présence du conteur se manifeste constamment, et qu'ils exploitent un fonds traditionnel et intemporel de bonnes histoires à rire qu'ils se bornent à actualiser pour leur conférer une plus grande puissance comique.

Les auteurs

D'entrée, deux remarques s'imposent. Dans ces contes souvent repris et colportés ici et là, il importe de ne pas confondre auteur et récitant : dans de nombreux fabliaux, le conteur fait allusion à des sources orales et parfois écrites ; il avoue avoir entendu ou lu ailleurs le récit qu'il rapporte et dont il ne prétend pas être l'auteur. D'autre part, les deux tiers des textes sont anonymes.

Néanmoins une vingtaine d'auteurs environ ont « signé » leurs textes. Qui sont-ils ? Il faut bien le dire, pour la plupart des inconnus dont il ne nous reste que le nom comme Courtebarbe (« Les trois aveugles de Compiègne »), Durand (« Les trois bossus »), Eustache d'Amiens, Hugues Piaucele, Guillaume le Normand... D'autres, par contre, nous sont mieux connus comme Jean de Condé (voir J. Ribard, *Un ménestrel du* XIV⁰ *siècle : Jean de Condé*, Genève, 1969), ou Jacques de Baisieux (voir P.A. Thomas, *L'Œuvre de Jacques de Baisieux*, La Haye-Paris, 1973), et surtout Jean Bodel, le trouvère artésien, et Rutebeuf (voir encadrés pp. 33 et 37) car ils nous ont laissé d'autres écrits.

Ces auteurs connus appartiennent tous au milieu des clercs, milieu des « professionnels de la culture et de la littérature » de l'époque. Mais il va sans dire que des jongleurs, amuseurs de profession qui allaient de ville en ville et de cour en cour, ont pu jouer un rôle dans la création des fabliaux et il faut ajouter qu'à une époque qui ignore ce qu'est la propriété littéraire, ils ont pu marquer de leur personnalité en les remaniant, voire modifier, ces récits qui se transmettaient par la voie orale et où l'improvisation pouvait jouer un grand rôle. Chaque jongleur présente souvent sa version comme meilleure et plus originale que toutes les autres.

Pour un classement des fabliaux

Compte tenu de la diversité des contenus, des sources et de la nature du rire qu'ils suscitent, les fabliaux entrent difficilement dans un classement cohérent qui rende compte de tous leurs aspects. Joseph Bédier les classait selon la raison du rire qu'il faisait d'ailleurs reposer sur des critères de nature différente : degré de complexité intellectuelle, tour d'esprit et degré d'immoralité. Per Nykrog les répartit par thèmes en opposant les fabliaux érotiques et les fabliaux non érotiques, réservant aux premiers une classification plus détaillée. Ce classement a l'inconvénient de s'intéresser davantage aux personnages qu'aux aventures, or c'est sur ces dernières que les auteurs de fabliaux mettent surtout l'accent. C'est pourquoi nous donnerons la préférence à la classification proposée par Omer Jodogne (*Le Fabliau*, dans *Typologie des sources du Moyen Age occidental*, fascicule 13, Brepols-Turnhout, 1975), qui repose sur l'*événement* qui a déclenché l'action ou a hâté son dénouement. D. Jodogne distingue ainsi des :

I. « Aventures » reposant sur un fait de *parole* :

A. Faits de langue :
   Équivoques (confusions) :
   — phonologiques « Le prêtre qui eut une mère malgré lui »

— onomastiques « Estula »
— sémantiques « Le repas de Villon : la manière d'avoir du poisson »).
(O. Jodogne ajoute ici le bafouillage, les métaphores, l'automatisme verbal et les illustrations de proverbes.)

B. Faits psychologiques (liés au caractère ou à l'éducation) :
1. Application littérale ou inadéquate d'un précepte ou d'un accord (« Brunain, la vache du prêtre », « La vieille qui graissa la main au chevalier », « Le pauvre mercier », « Le vilain de Farbus »).
2. Explication par une croyance ou des accusations fallacieuses de folie (« Les trois aveugles de Compiègne », 2ᵉ anecdote, « Le tailleur du roi et son apprenti », « Les perdrix »).
3. Parole sans acte (« Les trois aveugles de Compiègne », 1ʳᵉ anecdote).

II. « Aventures » reposant sur un acte :

A. Jeux sur l'irréalité :
Erreur sur la personne ou l'objet :
— Personnes (« Le paysan devenu médecin », « Estula »).
— Cadavres (« Les trois bossus », « Le prêtre »).
— Personne et animal (« Estula »).

B. Accusations :
Preuves pseudo-judiciaires avec :
— épreuve justificative (« Les deux chevaux »)
— testament (« Le testament de l'âne »).
Effet accusateur (« Le prévôt à l'aumusse »).

C. Châtiments :
Peine du talion (« Le prêtre et les deux coquins », « La couverture partagée », « Le cupide et l'envieux », « Le prévôt à l'aumusse »).
Jugement de Salomon (« Le prudhomme qui sauva son compère de la noyade »).

D. Bonheurs et malheurs :
   1. Mésaventures dues à la niaiserie (« Brifaut »).
   2. Bonnes fortunes dues à l'ingéniosité (« Le paysan devenu médecin »).

On voit tout de suite les lacunes et les difficultés d'un tel classement : il ne rend pas compte de la totalité du contenu d'un même fabliau qui bien souvent est amené à apparaître dans deux ou plusieurs rubriques différentes. D'autre part, si l'on admet que le fabliau est fondé sur la ruse, on ne peut se satisfaire d'un tel classement qui ne met pas en valeur la variété des bons tours sur lesquels repose le rire. Il faudrait lui préférer un classement fondé sur les *mécanismes* de la ruse, semblable à celui que propose Bernadette Rey-Flaud pour la *farce* (B. Rey-Flaud, *La Farce ou la Machine à rire*, Droz, Genève, 1984).

D'ailleurs une chose frappe à la lecture des fabliaux dont tout le monde, depuis J. Bédier, s'accorde à reconnaître qu'ils étaient « destinés à la lecture publique » : c'est leur caractère éminemment dramatique. Leurs personnages sont des types figés comme ceux de la *farce* et ce sont avant tout les situations et les péripéties d'une action fondée bien souvent sur le retournement ou sur l'enchaînement des jeux de la ruse qui provoquent le rire. D'ailleurs, dans sa thèse, Michel Rousse prouve qu'une bonne dizaine de fabliaux sont des transcriptions de farces, des mises en récit de saynètes vues par les auteurs : c'est vraisemblablement le cas des fabliaux de Jean de Condé.

Le « réalisme » des fabliaux

On a dit que les fabliaux étaient un « miroir du temps » et E. Faral les a largement mis à contribution pour écrire son ouvrage *La Vie quotidienne au temps de saint Louis*. Qu'en est-il exactement ? Et tout d'abord quel décor nous peignent-ils ? Un fabliau sur trois situe l'action dans un milieu urbain alors qu'une vingtaine seulement évoquent la campagne. De nombreux textes citent des noms de lieux précis (ce qui a permis à M.-Th. Lorcin de dresser une carte géographique du fabliau dont l'action se passe entre la Loire et l'Escaut, en Picardie, en Flandre, dans le Hainaut, le Laonnois, la Champagne et la Normandie, les villes le plus souvent citées étant Amiens, Arras, Douai, Cambrai, Abbeville et Compiègne) mais, à vrai dire, les localisations géographiques relèvent surtout de l'art littéraire : elles contribuent à donner l'illusion de la réalité et ne révèlent en fait que les origines ou les connaissances des auteurs (beaucoup de ces récits appartiennent au folklore).

Les fabliaux qui évoquent la campagne ne donnent que de vagues idées du paysage rural (habitat dispersé, maisons entourées de haies épineuses) et des activités campagnardes (longues journées de labourage avec une charrue tirée par quatre bœufs dans « Le paysan devenu médecin »). Par contre, ils insistent sur la grossièreté et la saleté des paysans (bien qu'il y ait eu des paysans fortunés, souvent des métayers), sur leurs vêtements frustes (*cote, surcot* et *chape* de drap grossier, chaussures de cuir de vache) conformes à ce que nous laissent entrevoir les miniatures de l'époque, sur sa nourriture simple et rustique composée essentiellement de pain, de lait, d'œufs, de fromage, de bouillie (voir le *morteruel*), de pois et de *porée* de poireaux à quoi s'ajoute parfois un peu de viande de porc.

La ville, elle, est mieux décrite dans nos textes avec ses maisons aux murs en torchis ou en pisé, aux toits de chaume, qui ont souvent un étage (le *solier*) et sont entourées de cours (le *cortil*), de jardins, de vergers, voire d'étables et d'écuries (« Estula »). La ville médiévale garde des caractères campagnards. Elle a cependant ses maisons de pierre, ses couvents, ses églises, ses hôtels de bourgeois fortunés, ses rues commerçantes où les métiers se regroupent par profession, et surtout ses tavernes devant lesquelles les aubergistes essaient d'attirer les clients par une publicité orale (« Les trois aveugles de Compiègne »). Et la nuit, alors que les portes sont fermées, elle devient le lieu de déambulation de marginaux en quête d'un mauvais coup, cependant que les honnêtes gens s'enferment peureusement dans leurs intérieurs dont les fabliaux nous peignent assez bien le mobilier sommaire : un bahut (*huche* ou *escrins*, qui est à la fois coffre, banc et souvent lit), un lit entouré d'une tenture pour les plus riches, avec une couette et un oreiller, ou tout simplement une paillasse pour les pauvres, une table et des chaises. Le costume n'est souvent décrit que par son élément le plus caractéristique : *robe d'escarlate* du paysan-médecin, *froc* du moine, *aumusse* des chanoines et des laïcs comme le prévôt... Par contre les fabliaux nous renseignent assez bien sur l'alimentation des bourgeois : les repas se composent souvent de plusieurs services qui font se succéder pain, viande de porc et de lapin, volailles diverses (oie à l'ail, canards, chapons), poissons, pâtés et, pour les desserts, fromages et amandes, poires, épices, dragées, noix, le tout arrosé de vin, surtout de blanc, considéré comme le vin noble (vin d'Auxerre). Ces repas copieux, et qui nous surprennent, ne sont pas le produit de l'imagination jalouse des auteurs : des ouvrages dignes de foi, comme *Le Menagier de Paris*, en apportent la preuve.

Mais, en dehors de ce décor campagnard ou bourgeois que nos auteurs évoquent d'un trait, qu'apprenons-nous sur la réalité sociale de l'époque ? Peu de chose, à vrai dire. La classe aristocratique est très peu représentée ; de la classe bourgeoise, nous ne rencontrons que quelques éléments riches, souvent avares ou niais ; les activités des métiers sont assez mal décrites même si, de loin en loin, apparaissent des meuniers (considérés comme des voleurs), des taverniers (obsédés par le souci de se faire payer), des chaudronniers, des savetiers, des forgerons ou des marchands (caractérisés par leurs fréquents déplacements). Les activités ecclésiastiques ne sont pas mieux décrites : le prêtre chante la messe et se livre parfois à des exorcismes. Il est vrai que la plupart des prêtres des fabliaux vivent à la campagne, loin de leur évêque (qui les convoque parfois), entourés de vilains, dans un milieu fruste qui les incite surtout à jouir des plaisirs de la vie. Quant aux vilains, ils se caractérisent par leur grossièreté et leur malpropreté. Ce sont en fait les couches les plus populaires de la société qui apparaissent dans le fabliau (et bien souvent d'une manière indéterminée) et elles semblent se soucier beaucoup moins des rivalités de classes que de la puissance grandissante de l'argent, qui est au cœur de la problématique de l'époque, car il subvertit les traditions morales et sociales : il pousse à l'égoïsme, à la satisfaction des plaisirs personnels, il fait éclater les anciennes structures sociales en suscitant des mésalliances (vilains enrichis qui épousent des femmes de la noblesse désargentée). Tout s'achète et le monde se répartit en deux classes : les pauvres condamnés à l'errance et à de nécessaires expédients qui reposent sur l'apprentissage de la ruse ; et les riches, bien établis, mais conduits par là même à s'endormir dans une rassurante bêtise. C'est sans doute sur ce seul plan du rôle grandissant de l'argent — qui fait naître une hantise liée au sentiment d'un boule-versement des valeurs — dans l'évolution de la société et des mœurs, que l'on peut parler du « réalisme » des fabliaux car, ainsi que le remarque Ph. Ménard, la condition sociale des personnages relève du décor et reste un trait secondaire ; les situations sont souvent interchangeables, faisant assumer les rôles de dupeur et de dupé aussi bien aux comtes, aux chevaliers et aux écuyers qu'aux bourgeois, aux artisans et aux vilains, citadins ou villageois. Le monde du fabliau, même s'il a toutes les apparences de la réalité la plus matérielle, reste un monde fondamentalement irréel, un monde de l'illusion qui ne vise en fait qu'à divertir.

Le goût du rire

1. *Dupeurs et dupés.* Le fabliau tend à promouvoir cette idée réconfortante que dans un monde divisé

entre les bons et les méchants s'exerce, sous l'effet de la Providence, une sorte de justice naturelle qui fait des premiers des dupeurs et des seconds, des dupés. En effet, si l'on examine la catégorie des dupés, on s'aperçoit qu'elle se compose, en dehors de toute appartenance sociale, de cupides (personnages du fabliau « Le cupide et l'envieux », prévôt enrichi mais de basse origine dans « Le prévôt à l'aumusse », fils ingrat dans « La couverture partagée », sauvé des eaux sans reconnaissance dans « Le prudhomme qui sauva son compère de la noyade », prêtre intéressé dans « Brunain, la vache du prêtre » ou « Le prêtre et les deux coquins », villageois égoïste dans « Estula »...), de trompeurs avides (moine des « Deux chevaux », joueurs tricheurs du « Prêtre et les deux coquins », artisan dans « Le tailleur du roi et son apprenti »), de rustres grossiers et violents dans « Les perdrix »), de maris jaloux parce que grâce à leur argent ils ont épousé des femmes très belles (« Les trois bossus ») ou au-dessus de leur condition (« Le paysan devenu médecin »), de niais enrichis (« Brifaut ») et d'infirmes dont les tares physiques sont pour l'époque le signe de leur noirceur morale (aveugles, bossus). A cette catégorie qui se définit donc par son associabilité s'oppose celle des dupeurs composée essentiellement par des jeunes gens (étudiant ou clerc comme dans « Les trois aveugles de Compiègne », apprenti dans « Le tailleur du roi et son apprenti ») qui ne sont pas encore établis dans la société, qui sont souvent réduits à la pauvreté (les deux frères de « Estula ») et qui ne doivent qu'à leur astuce de pouvoir survivre (le « larron » de « Brifaut », et Villon), et par des femmes qui compensent leur faiblesse physique, et l'état de dépendance qui leur est imposé, par la ruse (« Les perdrix », « Le paysan devenu médecin »). Il faut aussi faire un sort particulier à la naïveté qui, dans les textes présentés, lorsqu'elle est le fait de personnes pauvres et honnêtes, est une vertu récompensée par la Providence (« Brunain, la vache du prêtre », « La vieille qui graissa la main du chevalier », « Le pauvre mercier »). Le rire, dans les fabliaux présentés ici, résulte du plaisir et du sentiment de puissance éprouvés par l'auditeur (qui s'identifie toujours au héros) devant ces récits où les pauvres et les délaissés, grâce à leur ruse et à la Providence, se vengent des hommes riches qui ordinairement les oppriment.

2. *Un monde de la malice et de la ruse.* Autant et même plus que sur les personnages, le rire repose sur les jeux de l'esprit (jeux de mots, confusion de sens, mauvaise compréhension du langage), sur l'inattendu et le cocasse des situations mais aussi sur la virtuosité des parades que suscite la ruse : c'est grâce à leur astuce que, dans « Les perdrix », « Les trois bossus », « Le paysan devenu médecin », les femmes se sortent d'un mauvais pas ; que le prêtre, dans « Le testament de l'âne », retourne la situation à son avantage ; que l'apprenti, dans « Le tailleur du roi et son apprenti » se venge de son maître ; que le paysan devenu médecin malgré lui évite le bâton ; et qu'enfin, le villageois réussit à se débarrasser du cadavre du sacristain. Dans ce domaine, la palme revient sans doute aux fabliaux qui mettent en scène un mystificateur (qui, plus tard, deviendra, sous le nom de *badin*, le personnage clef du théâtre comique) : « Brifaut » et « Les trois aveugles de Compiègne ». Dans ce dernier, le clerc dirige l'action par simple envie de jouer de bons tours et l'on rit par avance de ce qui risque d'arriver aux pauvres aveugles qui se croient en possession d'une pièce d'or, comme on rira de voir l'aubergiste, qui croit se faire payer, être exorcisé par un prêtre qui le croit fou !

En fait, le rire (ou pour le moins le sourire) est partout dans le fabliau qui utilise presque tous les ressorts du comique. Et point n'est besoin d'y chercher une justification satirique, tout au plus témoigne-t-il de l'« esprit frondeur » qui, à toute époque, caractérise la jeunesse.

Le public des fabliaux

Le problème reste entier. Pour J. Bédier, « les fabliaux naissent dans la classe bourgeoise, pour elle et par elle ». Pour Ph. Ménard, « le seul public clairement indiqué par les auteurs de fabliaux est celui de la haute noblesse. Des témoignages complémentaires apportés par les romans courtois montrent sans conteste que les fabliaux ont été récités dans des cours seigneuriales ». Mais Ph. Ménard ajoute et nous ne pouvons que l'en approuver : « Certains de ces textes ont été racontés en plein air, sur des places publiques », « dans les demeures des bourgeois » et « chez les vilains aisés ». Encore une fois, compte tenu de leur nature, les fabliaux pouvaient amuser tout le monde (excepté peut-être les prêtres, mais ceux-ci étaient peu enclins aux divertissements païens) et l'on serait sans doute plus près de la vérité si l'on cherchait à cerner leur public plutôt à travers la notion de classes d'âge qu'à travers celle de classes sociales.

Les fabliaux révèlent un des aspects des mentalités et des modes de pensée du XIIIe siècle dont les contes vont nous montrer d'autres facettes.

Les contes

« Le chevalier au barisel »
la foi et le repentir

Ce conte pieux de 1084 octosyllabes, dont nous connaissons deux autres versions, l'une due à un certain Jouhan de la Chapelle de Blois et l'autre incluse dans l'important recueil de contes pieux connu sous le titre de *La Vie des anciens Pères* qui date des environs de 1250, remonterait d'après son éditeur,

Felix Lecoy, aux premières années du XIII⁰ siècle.
C'est un *exemplum* qui veut montrer que la miséricorde divine est infinie et que Dieu pardonne même
aux pécheurs les plus endurcis dès lors qu'ils éprouvent
un repentir sincère. Le héros en est un puissant
seigneur dont la beauté physique déguise une profonde
cruauté qui lui fait n'éprouver de plaisir que dans le
pillage et le meurtre, dont l'orgueil est immense et
l'absence de foi totale puisqu'il mange de la viande
même le jour du Vendredi saint. Or, au bout de trente
années ainsi passées à accumuler les péchés les plus
graves, il accepte par lassitude, et aussi pour se moquer
d'eux, d'accompagner ses chevaliers qui vont se confesser
à un ermite le jour du Vendredi saint. Arrivé devant
l'ermitage, il refuse de mettre pied à terre, mais la
patience obstinée de l'ermite le contraint à venir
devant l'autel et lui arrache, malgré les menaces qu'il
profère, une confession sans repentir qui est bien
plutôt un effet de son orgueil ; il repousse avec des
sarcasmes et de la colère toutes les pénitences, de la
plus dure à la plus légère, que lui propose le saint
homme, lequel, lassé par tant de mauvaise volonté,
lui demande simplement le service d'aller remplir à la
rivière un petit baril, en échange de quoi il le tiendra
quitte de ses fautes et l'absoudra. Par plaisanterie et
par défi, le chevalier s'engage à le rapporter plein mais
quand il arrive au bord de la rivière, il ne parvient
pas à y faire entrer une seule goutte d'eau. Par orgueil
et par colère, il jure alors de n'avoir pas un moment
de répit avant de l'avoir rapporté plein. Et pendant
une longue année, il parcourt le monde dans ce but
sans mieux réussir et sans décolérer : mais, quoiqu'il
ne s'en rende pas compte, c'est alors qu'il accomplit
une pénitence bien plus dure que celles que l'ermite
lui avait proposées. Atteint dans son apparence exté-
rieure, puis dans son corps, rejeté de tous, il devient
un mendiant au bord de l'épuisement, ayant utilisé
ses dernières forces dans une quête vaine qui n'a en
rien entamé son orgueil et son dépit. Et lorsque, au

bout d'un an, il revient avouer son échec à l'ermite, il est dans les mêmes dispositions d'esprit que lorsqu'il est parti. C'est le saint homme qui, se sentant responsable de la transformation physique du chevalier, se met à pleurer de compassion et demande à Dieu de l'accueillir à sa place au Paradis. Touché par tant de sollicitude, le chevalier a enfin un élan de repentir sincère envers Dieu qui fait monter à ses yeux une larme suffisante pour remplir le baril ; il s'ouvre alors à l'humilité et demande à refaire sa confession mais cette fois d'un cœur sincère et repentant. L'ermite la recueille et absout le chevalier juste avant qu'il ne rende son âme que des anges viennent chercher pour la conduire au Paradis.

L'intérêt d'un tel texte réside dans le portrait du chevalier (que met en valeur par contraste celui de l'ermite) et dans son cheminement moral et spirituel qui le conduira à être touché par la grâce divine. Mais le texte souligne aussi le rôle de l'intervention divine : on assiste à un véritable miracle dont on prouve ainsi que même les pécheurs les plus endurcis — et surtout eux — peuvent en bénéficier. Dieu a bien pardonné à Judas. C'est là l'expression d'une foi profonde et naïve qui est celle du XIIIe siècle.

Soulignons aussi la maîtrise technique de l'auteur dont on doit reconnaître, avec Félix Lecoy, qu'il fait preuve « dans ses développements d'une remarquable discrétion et d'un désir manifeste d'éviter tout ce qui pourrait ressembler, même de loin, à un sermon ou à un enseignement direct. Les discours sont sobres, ce qui n'exclut ni la vigueur ni le pathétique, les situations nettement indiquées en quelques traits de description ou en quelques brèves répliques, les caractères fermement tracés, avec le souci des tons et des valeurs. Même les personnages secondaires, comme les compagnons du chevalier, participent à la vie de l'ensemble. Le conte donne ainsi une impression tout à la fois de ramassé, de rapide et d'efficace, rare dans les œuvres du Moyen Age ».

« Le conte des enfants-cygnes » :
le goût du merveilleux

Ce conte, dans la plus pure tradition des *lais* et autres récits féeriques qui ont fleuri à la fin du XIIe siècle (et dont les plus connus sont dus à la plume de Marie de France qui les a dédiés à Henri II d'Angleterre et à Guillaume de Mandeville, comte d'Essex, prend bon nombre de ses thèmes — qui réapparaissent dans maintes œuvres — dans les vieux fonds celtique et oriental.

Le premier combine le motif de la chasse au blanc cerf et de la fée à la fontaine (ou de la femme-cygne) tels qu'ils apparaissent par exemple dans les lais de « Graelent », de « Lanval » et de « Désiré » : un jeune seigneur célibataire part à la chasse ; dès qu'il est entré dans la forêt, ses chiens débusquent un cerf blanc, animal merveilleux, messager de l'Au-Delà qui l'entraîne à sa poursuite loin de ses gens au cœur de la forêt et le conduit ainsi jusqu'à une fontaine ou une source où se baigne nue une femme d'une éclatante beauté qui a laissé ses vêtements ou, comme ici, son collier d'or sur la rive. Cette femme est une fée qui, en se dévêtant, a pris une forme humaine et devient visible aux mortels. Dans la légende primitive, c'est une femme-cygne, être féerique par excellence qui, abandonnant son vêtement de plumes sur la rive, se matérialise aux regards. Et il suffit qu'un intrus lui dérobe alors ce vêtement de plumes pour qu'elle ne puisse plus s'envoler et reste prisonnière de sa forme humaine. C'est ce que fait dans notre conte le jeune seigneur qui, dès qu'il a vu la fée, en est tombé éperdument amoureux : il lui dérobe son collier d'or, la réduisant ainsi à sa merci. Ainsi un mortel peut-il épouser un être de l'Autre Monde. Mais notre récit ne se poursuit pas selon le déroulement qu'implique habituellement dans les *lais* un tel début. Il bifurque vers un autre thème très connu du folklore : celui de la marâtre jalouse qui remplace, à leur naissance, les enfants issus du mariage du seigneur et de la fée (ici au nombre magique de sept : on songe à Blanche-Neige) par des chiots et donne l'ordre de les tuer (on retrouve ce thème au début du XIVᵉ siècle dans *Le Roman du comte d'Anjou*). Il faut voir là l'expression de la jalousie de la mère qui ne peut supporter de voir son fils lui échapper et qui redoute le pouvoir magique de la fée qu'elle veut ainsi discréditer (et elle n'a aucune peine à y parvenir car, une fois mariée et ayant perdu son collier magique, la fée n'a pas plus de pouvoir qu'une mortelle).

Mais le serviteur auquel la marâtre a confié les enfants (dont la double nature humaine et féerique est signalée par le fait qu'ils sont venus au monde avec chacun un collier d'or, identique à celui de leur mère, autour du cou) n'ose pas les tuer et se contente de les abandonner dans la forêt. Les enfants vont ainsi survivre grâce à une biche qui les nourrit pendant sept ans, thème que l'on retrouve dans de nombreuses légendes, des jumeaux Romulus et Rémus jusqu'à Mowgli et à Tarzan. Pendant ce temps, le seigneur, trompé et dépité, a cruellement fait enterrer jusqu'à mi-corps, dans la cour du château, sa femme-fée. Un jour, en chassant dans la forêt, il aperçoit les enfants aux colliers d'or ; il les poursuit mais ne peut les rejoindre (thème que développe le « Lai de Désiré »). Mise au courant du fait, la marâtre inquiète renvoie le serviteur qui lui a désobéi avec mission de rapporter les colliers d'or, ce qu'il fait en dérobant sur la rive les six colliers que les garçons y avaient déposés avant de se transformer en cygnes pour jouer. On retrouve là, inversé (puisque les colliers permettent aux garçons de retrouver leur forme humaine) le motif de la femme-cygne que l'auteur réutilise habilement sans doute en fonction du dénouement prévu. Le serviteur rapporte les six colliers à la marâtre qui les confie à un orfèvre pour qu'il les fonde, mais ce dernier ne peut y parvenir ; il réussit tout juste à briser un maillon d'un des colliers magiques et il doit utiliser d'autre or pour fabriquer la coupe demandée par la marâtre (motif que l'on retrouve dans les contes de fées).

Dès lors, après de très belles pages sur la douleur des enfants-cygnes qui ne peuvent retrouver leur forme humaine et s'envolent, accompagnés de leur sœur, pour venir se poser près du château de leur père, le texte s'achemine vers son dénouement : une nouvelle tentative de la marâtre pour faire tuer la fillette qui, elle, ayant conservé son collier, peut garder une apparence humaine, alerte le seigneur qui fait avouer les coupables. On retrouve chez l'orfèvre les colliers qui, rendus aux enfants-cygnes, leur permettent, sauf à celui dont le collier a été brisé, de retrouver leur apparence humaine. La marâtre est punie et on lui applique la loi du talion : elle est mise à la place de la fée réhabilitée. Cette fin, du même coup, explique l'origine de la légende du Chevalier au Cygne, Geoffroy de Bouillon, qui ne serait autre que l'un des enfants féeriques qui aurait refusé d'abandonner son frère condamné à rester cygne par le bris de son collier. Ainsi, comme c'est le cas dans le roman arthurien, le texte tente d'attribuer une généalogie merveilleuse à un chevalier devenu célèbre pour avoir conduit la Ire croisade. Par la suite de nombreuses familles nobles prétendront tirer leur origine du Chevalier au Cygne, ce qui leur permettait de rehausser leur prestige en présentant implicitement l'idée d'une noblesse de droit divin. La littérature de la classe aristocratique devenait insidieusement militante. Pour de plus amples informations sur la légende du Chevalier au Cygne, lire le très beau livre de Claude Lecouteux : *Mélusine et le Chevalier au Cygne*, Payot, Paris, 1982.

« La fille du comte de Ponthieu » :
le goût des légendes et l'attrait de l'Orient

Ce conte, qui est considéré comme la plus ancienne nouvelle française en prose, remonte sans doute au début du XIIIe siècle. Une version remaniée est incluse dans la chronique, en partie fabuleuse, écrite et diffusée vers le milieu du siècle sous le titre d'*Histoire d'Outre-mer et du roi Saladin* que la chanson de geste *Baudoin de Sebourc* rattache à la famille des comtes de Ponthieu.

Il témoigne non seulement de l'attrait de l'Orient suscité par les Croisades dans l'aristocratie du XIIIe siècle, mais aussi de son goût pour les contes populaires. En effet, le thème de l'abandon à la mer de l'héroïne est fréquent dans les contes merveilleux de « La femme aux mains coupées » (voir La *Manekine* de Philippe de Beaumanoir) et dans ceux des « Souhaits réalisés ».

Le récit peut choquer par la violence qui en émane, notamment dans la scène où la dame, après avoir subi l'affront des brigands, veut tuer son mari, et dans la scène où le comte de Ponthieu fait enfermer sa fille dans un tonneau qu'on abandonne à la mer. En ce qui concerne la première, outre le fait que les mœurs à l'époque décrite n'avaient pas la délicatesse à laquelle notre civilisation policée nous a habitués, on l'a expliquée, malgré le flou du récit, par un égarement et « une honte si poignante qu'elle va jusqu'à tenter de faire disparaître le seul témoin qui ne cesserait de la rappeler par sa présence ». Quant à la seconde elle se justifie par la structure de l'aventure qui implique l'utilisation du thème populaire connu.

Pour Danielle Régnier-Bohler, ce récit linéaire « est proche d'un récit d'initiation. Unique point focal du récit, la fille du comte parcourt des étapes successives qui sont autant d'épreuves à surmonter. De stérile elle devient féconde... L'héroïne organise, étape par étape, des solutions aux épreuves qu'elle affronte ». Ce motif de la stérilité de la femme et souvent du couple princier, auquel seule l'intervention divine apporte une solution (et c'est bien ici le cas puisque la fin du texte parle de « miracle » dont on loue Dieu) est fréquent dans les contes folkloriques (*cf.* les lais de « Désiré », « Tydorel », « Yonec »).

Quoi qu'il en soit, et plus simplement, on peut

penser que dans un monde qui vit la croisade au quotidien, l'aventure qui conduit (miraculeusement) la dame en Orient est pour elle le moyen vraisemblable de redonner à son mari une vie qu'elle avait voulu lui enlever, donc de réparer sa faute selon la loi du talion : ainsi peut-elle être pardonnée. Mais il faut quand même remarquer que le motif très goûté du chevalier chrétien qui combat dans les rangs sarrasins et accomplit des prouesses pour le sultan (et qui apparaît dans « Flore et Blanchefor » « Aucassin et Nicolette » « Le roman de Pierre de Provence et de la belle Maguelonne », motif qui devait refléter certaines réalités du temps, atténue quelque peu la portée de l'action de la dame : son mari Thibaut avait déjà gagné ainsi sa liberté en échange du service rendu. Mais cela n'enlève rien à la beauté, à la poésie à tonalité exotique du récit, qui, pour un auditoire aristocratique, devait magnifier le quotidien tout en actualisant les vieux mythes auxquels on conférait ainsi une fiction d'authenticité.

Plutôt que d'ajouter ici une longue conclusion, nous nous bornerons à rappeler que les divers textes présentés dans cet ouvrage datent du XIIIᵉ siècle dont ils illustrent les différentes formes de sensibilité : les contes, plutôt tragiques et qui témoignent d'une foi aussi profonde que naïve, d'un goût pour l'exotisme oriental, le merveilleux et le féerique, d'un attrait pour le pathétique et le dramatique, sont le naturel pendant des fabliaux qui leur sont contemporains et qui se situent, eux, sur le versant du rire trivial. Le rire et les larmes sont indissociables ; ils sont les deux pôles entre lesquels navigue et fluctue la sensibilité d'une époque et il faut en avoir conscience lorsque l'on veut essayer de la saisir. Ainsi transparaît mieux, comme un dénominateur commun à toutes les aventures rapportées par ces textes divers, ce qu'on a appelé la rudesse des mœurs du Moyen Age, qui n'est pas manque de sentiment mais peut-être tout simplement indifférence devant la mort.

Bibliographie

Nous nous bornerons à ne citer ici que quelques ouvrages récents d'une lecture facile, susceptibles d'intéresser un public curieux des choses du Moyen Age.

1. Ouvrages généraux :

BADEL, Pierre-Yves : *Introduction à la vie littéraire au Moyen Age*, Bordas/Mouton, Paris, 1969.

PAYEN, Jean-Charles : *Littérature française, le Moyen Age* (de l'origine à la fin du XIIIe siècle), Arthaud, Paris, 1984.

POIRION, Daniel : *Littérature française, le Moyen Age (1300-1480)*, Arthaud, Paris, 1971.

2. Ouvrages sur les fabliaux :

BOUTET, Dominique : *Les Fabliaux*, P.U.F., Paris, 1985.

LORCIN, Marie-Thérèse : *Façons de sentir et de penser : les fabliaux*, Champion, Paris, 1979.

MÉNARD, Philippe : *Les Fabliaux, contes à rire du Moyen Age*, P.U.F., Paris, 1983.

3. Ouvrages d'histoire :

DUBY, G. et MANDROU, R. : *Histoire de la civilisation française*, tome Moyen Age, XVIe siècle, Colin, Coll. U., Paris, 1968.

4. Pour ceux qu'intéressent les récits merveilleux :

RÉGNIER-BOHLER, Danielle : *Le Cœur mangé, récits érotiques et courtois, XIIe et XIIIe siècles*, Stock-Plus, Paris, 1979.

A quoi on peut ajouter, pour les romans du Moyen Age, la collection des *Traductions* présentées par Champion.

Table de renvoi des fabliaux traduits aux textes d'ancien français présentés par le *Recueil général et complet des fabliaux des XIIIe et XIVe siècles*

par A. de Montaiglon et G. Raynaud
Paris, 6 vol., 1872-1890

Table

Contes

COMMENTAIRES

Composition réalisée par C.M.L., Montrouge.

IMPRIMÉ EN FRANCE PAR BRODARD ET TAUPIN
La Flèche (Sarthe).
N° d'imprimeur : 4777D – Dépôt légal Édit. 804-02/2000
LIBRAIRIE GÉNÉRALE FRANÇAISE - 43, quai de Grenelle - 75015 Paris.

ISBN : 2 - 253 - 04012 - 6   ✛ 30/4274/4